宇宙を味方にする方程式

小林 正観

Kobayashi Seikan

致知出版社

宇宙を味方にする方程式＊目次

第一章

宇宙にあるさまざまな方程式

第二章　宇宙方程式でがんを克服する

第三章　すべての苦悩煩悩をなくす方法

第四章 毎日が楽しくて仕方なくなる方法

第五章　神様を使いこなして生きる

第六章　「掃除・笑い・感謝」で幸せになる

◉カバーデザイン――村橋雅之
◉編集協力――柏木孝之

第一章

宇宙にあるさまざまな方程式

「ミスを犯しながら学習をしていくのが人間のすぐれている点なのだから完全主義者はやめよう」

Ⅰ　花粉症になる人の方程式

花粉症の人には「完全主義者」という共通項がある

私は大学時代に精神科学研究会という妙なところに所属しておりまして、超常現象とか超能力とかの研究をしていました。超常現象というのはなかなかおもしろくて興味深いものではあるのですが、めったに起きない。めったに起きないからこその超常現象なのですね。しょっちゅう起きているのは超常現象とは呼びません。

しかし、たまにしか起きないとつまらない。それで、もう少しおもしろいことが何かないかと思って目を凝《こ》らして探していたら、すごくおもしろいジャンルが一つ見つかりました。それは「日常生活」

です。日常生活の中にはおもしろいことがたくさん隠れている。さらに言うと、人間観察をしているといろいろなことがわかってくるということに気づいたのです。

たとえば花粉症の人がいますね。この花粉症の人には人格上の共通項があります。その共通項とは、「花粉症の人は完全主義者の人がほとんどである」ということ。

完全主義者というのは、完璧に物事をやらなければ気がすまないと思っている人です。そのせいか、スギ花粉が目の前を通り過ぎていくときにどうも黙って見送ることができないみたい。全部吸い込んでおかないと気がすまない。見逃せばいいのに、それができない。

花粉症であり完全主義者の人と一緒に流しそうめんを食べに行くと、とてもおもしろい。目の前を流れていくそうめんを一本たりとも逃さない。逃すと、ずーっと十メートルも追いかけていって、最後の一本まですくい取って食べています。

これが花粉症の人たちによく見られる共通項。完全主義者であるということです。

このように「ある症状なり傾向なりを持っている人には共通項があるというものの見方をしていくと、人生がかなりおもしろくなります。

私はこの共通項のことを「宇宙方程式」あるいは「宇宙の法則」と呼んでいるのですが、私が日常生活の観察を始めてから四十年、今ではこの宇宙方程式が二千個ぐらい私の手元にあります。花粉症の人はほとんどが完全主義者というのも、その中の一つです。

花粉症を治すには「よいかげん」が大切

あるとき、「完全主義者は花粉症になりやすいみたいですよ」というお話を講演でしたら、一人の中年の女性が講演のあとの二次会で私のところにやってきて言いました。

「今日の花粉症の話は納得ができません。私は花粉症だけれど、完全主義者ではない。何をやっても完全にはできないし、ちゃんとできない。いつもそれで自己嫌悪で落ち込んでいる。私は完全主義者じゃありません！」

そういう人を完全主義者と呼ぶのですね。完全にできる人を完全主義者と言うのではなくて、完全に完璧にやらなければいけないと思い込んでいる人を完全主義者と呼ぶ。

「九十二点取れたのだからよくやったよね」と思える人は花粉症

にはなりにくいのです。九十二点取れたのに「九十二点しか取れなかった。まだ八点足りない」と言っている人が花粉症になりやすい。この人を発展（八点）途上の人と言いますが、そういうふうに「足りない、足りない、まだまだ」と言っている人こそが完全主義者なのです。

だから、花粉症を治そうと思うのなら、いいかげんな人になること。

「いいかげん」というのは、「よいかげん」という意味です。だから、「いいかげんで適当な人になる」というのは、「よいかげんで自分の能力に見合った自分の生き方をする」という意味になります。いつも背伸びをして、自分の限度ぎりぎりの生き方をしていて、もっともっと、まだまだと言っていると、つま先が傷ついて立っていられなくなります。すると立っているという根源を失ってしまうことになる。

だから、足をドーンと地につけて、つま先立ちしないで生きていくほうが楽なのです。それを「よいかげん」と言うわけです。


四十歳になるまでずうっと二十年間も花粉症で苦しんできた男性がいました。その人が私の話を聞いて、こう言いました。

「自分は完全主義者じゃないと思っているけれども、頑張っていたという感じはあるかもしれないので、少しリラックスをしながら今度の春のシーズンには臨みたいと思います」

そして、次の春、実際にそうしてみたそうです。力を入れないで、力を抜いてみた。そうしたら例年の九〇%の症状を抑え込むことができて、一〇%しか症状が出なかった。

「ものすごく楽でした」と、その人は秋の講演会のあとの二次会で発表されました。

その話を聞いて、同席していた二十人ぐらいの人が「よかったですね」と、すごくいい笑顔で拍手をしてあげた。すると座りかけた彼は、中腰のまま、また立ち上がって一言、こう言いました。

「来年の春が楽しみなんです。今度は一〇〇％抑え込んでやろうと思っている」

「それこそ、完全主義者ですよ！」

みんなからそう指摘されると、その瞬間、

「ああ～」

と彼は叫びました。自分は今まで完全主義者じゃないと思ってきたけれど、今言われて初めてわかった。九〇％抑え込むことができたからよしとは思わないで、来年こそは一〇〇％抑え込むぞと思った。それを指摘されて初めてわかった、というわけです。

完全主義者とはこういう人を呼ぶのです。


人間はもともとミスの多い存在です。なかなか完全にはできない。でも、人間は完全にはできなくても、ミスを繰り返しながら同じミスを繰り返さないようにしていく学習能力が他の動物よりすぐれています。人間と他の動物と違うのはそこらあたり。そこのところをよく考えてみてください。

そして、

「ミスを犯しながら学習をしていくのが人間のすぐれている点なのだから完全主義者はやめよう」

と決めてください。そうすればいつの間にか花粉症もよくなっているでしょう。

Ⅱ　アトピーの子がいる家庭の方程式

家の中に必ず「早く早く」とせかす人がいる

宇宙方程式にはいろいろなものがあります。たとえば、アトピーの人が家族にいるとか、子供がアトピーだという人の家を観察していくと、ある共通項が見つかります。

それは「家族の中に早口でしゃべる人がいる」という共通項です。

そして、その早口でしゃべる人が、子供に向かって

「早く早く早く早く早く早く早く早く」

と、一日中、言い続けている。そういう事実が浮き彫りになってきます。

だから、アトピーの子供がいる家の人は、子供に影響力を持っている人——親、あるいは、おじいちゃんやおばあちゃんかもしれません——が早口で「早く早く」と言うのをまずはやめてみてください。そうすると、アトピーが劇的に改善されます。

アトピーになっている子供というのは、大体がものすごく優しくて素直な子です。だから、「早く早く」と言われるたびに、それに対して一〇〇%応えようとする。口ごたえをする子は、アトピーになりにくいのです。「うるせえな」とか言っているひねくれた子供でアトピーになる子はほとんどいません。

言われたことに一〇〇%従おうというような素直さを持っていて、なんとか応えようとして体が動かなくなって、内側から膿《うみ》が出てきてしまう——アトピーの子はそういう反応を示しているみたいです。かわいそうですね。

そこでとりあえず、アトピーの子供を持っている家族は、「早く早く」と言っている人に話をして、「早く」と言うのをやめさせてください。

「三郎ちゃん、そろそろ起きる時間じゃないかと思うんだけれど……。早い話がそろそろ学校へ行く時間じゃないかとお母さんは思うんだけれども……。もしかしたら間違っているかもしれないけど、でも時計を見るともう八時二十五分だし、あと五分ぐらいで学校が始まるんじゃないかと思うのよ。でも、歩いて行くと十分かかるから、今から起きたのでは絶対間に合わないかなとも思うんだけど、そろそろ起きたほうがいいかなあって思うのよね……」

というような話をじっくり時間をかけてしていると、「そろそろ行こうかなあ」と子供が言い出したときには午後二時ぐらいになっているかもしれません。しかし、そういうようなゆったりとした会話を続けていると、子供のアトピーが劇的に改善されるようなので、ぜひやってみてください。

子供と向き合ってはいけない

アトピーになると子供もつらいけれども、子供をあちこちの病院に連れて行ってなんとか治してあげたいと思っている親も結構つらいものです。つらいと思っている親は、その因果関係として、いつの間にか早口でしゃべるようになる。また、そのしゃべる内容も常に「早く早く早く」になってしまっています。

これはアトピーの子供だけの話ではないのですが、何もやっていない時間というのを認めてあげると、子供は伸び伸びと大らかに育ちます。反対に、何もやっていない時間を認めないと、すごくせわしなくて神経質な子供になってしまいます。だから、何もしてないでボーッとしている時間を認めてあげることがとても大切。

私たちが子供のころというのは親が忙しかったので、子供が勝手にボーッとして遊んでいる時間が許されていました。ところが今は子供が少なくて、おまけにあまたの教育評論家が「親は子供に向き合え」と言うものだから、常に子供に向き合おう向き合おうとする親が増えています。

小学生、中学生が何か犯罪を起こすと、必ず教育評論家という人がテレビに出てきて、「もっと子供と向き合え」と言いますけれど、この意見に私は反対です。

向き合え、向き合えって、甘栗をむいているんじゃないのだから。

親子関係はあまり向き合わないほうがいいと思います。

一言で言うと、子供と向き合っているということは、子供の目の前に立ちふさがっているということです。立ちふさがってあら探しをしている。子供に向かって、「あんたのここが気に入らない。ここがダメ。ここをなんとかしなさい」と言っているようなものです。こういう教育は教育ではない。たぶん子供は息苦しくて、なんとかこの親をどけたいと思っているに違いありません。


すごく楽しくて理想的な育て方・育ち方というのは、親が楽しそうに勝手に前を歩いていって、その背中を子供が追っかけていくという形なんです。親がものすごく楽しそうに、幸せそうに前へずんずんと歩いていく。

「あんたのことなんて大した関心はない」というふうに親が子供

に見せて楽しそうに幸せそうに生きていると、子供もそういう生き方をしたいと思うようになります。だから、親を一生懸命追いかけようとする。

そうすると子供は親のあとをついていくのに一生懸命で、万引きしたり犯罪を起こしたりというところに気がいかない。エネルギーがそちらのほうに向いていかないのです。

これは学校の先生にも言えるのですが、おもしろいことをたくさん知っていて、次から次へと自分がおもしろいと思うことをやって生きている先生を見ると、生徒は「この先生、おもしろそうだからついていこう」と思います。

でも、いつも生徒に面と向かって説教だけしている先生にはついていこうと思いません。うるさくてうるさくてしょうがない。

「あんた、いないほうがいいよ」と生徒から言われてしまう。

でも、そう言ってても先生はどいてくれないから、「この先生を無視して生きていこう」と生徒は考えて、先生が来るとおしゃべりをしたり、教室の中を歩き回ったり、校庭に出て遊んでいたりする。校庭に生徒が出て遊んでいるということは、その先生を否定しているというあかしです。

福岡県に、東大にたくさんの生徒が入学する高校があります。

その学校にはE先生という美術の先生がいます。その先生が十五年ほど前に私の講演会にいらして、一緒に合宿をしました。自己紹介のとき、E先生は「私は美術の教師をやっているんですけれど、つまらなくて行き詰まっていて、もう辞めたいと思っているのです」と告白しました。

そのときはたまたま三十二人で一泊二日の合宿をやったのです

が、そのうち八人が学校の先生でした。

そこで私はこんな話をしたのです。

「私は教師ではないけれども、学校の先生に是非お願いしたいことがあります。生徒に勉強を教えるのじゃなくて、なぜこの学問がおもしろいのかという動機づけをしてください。中学高校時代はそれが重要なんです。大学に入ってからは、いろいろ数式を研究して勉強したり、英単語をたくさん覚えるのは構わないけれど、中学高校では、なぜこの学問が、この科目がおもしろいのかというのを動機づけすることが何よりも重要です。それこそ先生が一番にやるべきことだと思います。今はそういうことをやらない先生が多すぎる。だからとりあえずここにいる八人の先生は、動機づけを考えてください」と。

E先生が美術の教師を志したのは高校生のときだそうです。プラトン図形、正多面体にものすごく興味を持った。そこから入り込んで美術の先生になったのです。

そのおもしろかった日々のことを、合宿の日の夜に思い出したそうです。それで美術の教師を辞めたいという気持ちをとりあえず置いておいて、家に帰って、押し入れの奥にあった正多面体の資料を引っ張りだして読み始めた。そうしたら、自分が生き返ったのだそうです。

高校生のころの「おもしろい」と思った気持ちを思い出して、「このおもしろさを生徒に伝えよう」と思って、翌日から自分が興味を持った話をどんどん始めた。そうしたら、それまでそっぽを向いて誰も何の関心も示さなかった生徒たちが、みんな話に食いついてくるようになったそうです。

今は大学を受けようとする受験生でノイローゼ気味になったり悩

んだり苦しんだりしている生徒は、みんなE先生のところに人生相談に来るそうです。「駆《か》け込み寺みたいになっています」と言っていました。

さて、この話をまとめるとこういうことになりますね。

親子関係で言えば、子供に対して「早く早く」と強《し》いないで、ボーッとしているところを認めてあげる。ボーッとして何もしない時間が多ければ多いほど、伸び伸びとすこやかに育つ可能性がある。

ボーッとする時間というのは、自分で物を考える時間です。それを許さないで、常に親が指示をして「早く夕食を食べなさい」「早く宿題しなさい」「早く風呂に入りなさい」「早く寝なさい」と言っていると、子供は指示されなければ何もしなくなる。そのほうが楽だからです。

そうならないようにするには、自分で物を考えることをやらせたほうがいい。だから、ボーッとすることがとても大切。

そして、そのための重要なポイントは、親もみずからボーッとしている時間を持つこと。親がいつもいつも何かに追いまくられて、「忙しい、忙しい、忙しい」と言っているようではダメ。ボーッとしているというのがとてもいいわけですね。それを見て子供は「あぁ、ボーッとしていると何か気持ちよさそうだな」と学ぶのです。

これが宇宙の法則が教える子供の育て方です。

Ⅲ　倒産する会社の方程式

倒産する会社の庭や駐車場は〝必ず〟汚れている

次は倒産する会社にある共通項の話です。こんなこと別に知っていてもしょうがないですけれど、こうすれば必ず確実に倒産するという話。

それは何か。「倒産する会社は必ず駐車場や庭がごみで汚れている」という共通項があるのです。

これは〝必ず〟です。倒産する会社は〝必ず〟周りが汚れているというのが宇宙の法則。例外はありません。

この法則を最初に発見したのは私ではありません。とある銀行の、とある支店の副支店長をやっている人です。この方は銀行に入ってから三十年間、ずっと倒産する会社を見てきました。

この人がこの法則を十年ぐらい前に私に教えてくれました。それ以降、私は倒産する会社というのをずっとウォッチングしてきましたが、間違いなく「倒産する会社は庭や駐車場がごみで汚れている」という事実があります。

ただし、その副支店長はこう言っていました。

「あと二つ、必ずくっついている事実があるので、その二つも伝えていただかないと誤解する人がいます」

というわけで、あと二つの話をしておきます。

一つ。駐車場や庭がごみで汚れているからといって、必ずしも倒産するわけではない。

倒産する会社は必ず汚れているけれども、汚れているからといって、必ずしも倒産するわけではない。

一つ。庭や駐車場がきれいに整理整頓《せいとん》、掃除がなされているからといって、必ずしも倒産しないわけではない。

整理整頓、掃除がきちんとなされている会社でも倒産することはある。

ということは……最初に挙げた方程式も含めた三つのことを一言でまとめると、「よくわっかんない」という結論になるのですが、それを小林正観的に簡略にまとめると、こうなります。

庭や駐車場が掃除されずに汚れている会社は著《いちじる》しく倒産の可能性が高い。その一方、庭や駐車場がきれいに整理整頓されているところは著しく倒産の可能性が低い。

これは大変おもしろい法則です。そういう目で皆さんも会社を観察してみて、この法則を確かめてください。

Ⅳ　絶対に太りたくない人のダイエット方程式

いくら食べても太らない魔法の言葉

世の中には太りかげんの人がいます。その人たちにも共通の言語があります。

まず一つ目、食べ物を目の前にして必ずこう言う。

「私、何食べても太っちゃうのよね」

そう食べ物に言い聞かせて食べている。その言葉を食べ物が聞いているのです。

二つ目、飲み物を目の前にして、

「私、水飲んだだけでも太っちゃうのよね」

と、その水やお茶に言い聞かせている。

三つ目、夜寝る前に食べ物を目の前にして、

「寝る前のこの一口が私を太らすのよね」

と、その食べ物に言い聞かせて食べている。

そういうふうに言い聞かせられて体の中に入った食べ物・飲み物は、午前二時ぐらいになってふと思う。

「あっ、この人を膨《ふく》らまさなくちゃいけなかった。言われたんだもんな」

そのように言われたのだから、一生懸命その人を膨らまして膨らまして……。「だって、本人がそういうふうに言ったんだもの」と、食べ物・飲み物はそのとおりに情報を持っていて、ちゃんと体をそのようにしようとするのです。

私は十八歳のときから五十六歳の現在に至るまでの三十八年間、全く体型が変わっていません。何よりもいいのは、服だとかズボンだとかを買い直す必要がないということ。今も三十年前の服を着ています。

ズボンでも三十年前のものを履《は》けるのですが、たまに履くと虫が食っていて、穴があいていたりする。それがたまたま講演会の席で初めてわかったりすると、その日は絶対に立ち上がりません。後ろに白板があるのに、一回も立たないで白板に一文字も書かない日は、実はそういう理由のときもあるのです。

そういう失敗もあるのですが、とにかく体型が変わらないことで服を買い直さなくていいというのは非常にありがたい状況です。

では何で太らないのか。

絶対に太らない方法というのがあるのですよ。

もし何も無理をしないで体重を減らしたいのであれば、食べ物に向かって「私、食べれば食べるほどやせちゃうのよね」と言い聞かせながら食べるのです。

これも宇宙の方程式の一つなのですが、

「私、何を食べても絶対太らないんです」

と言い聞かせながら食べる。それも普通の人より私はちょっと多めに食べるのです。

食べれば食べるほどやせていく

何を食べるにも「どんなに食べても絶対太らないのよね」と言い聞かせながら食べていると、体の中に入ったものは溜まりません。グリコーゲンになってエネルギーにはなりますけれども、脂肪にはなりません。なので体型が変わらないというわけ。

だから、体重が七十キロ、八十キロの人が、もし何も無理をしないで体重を減らしたいのであれば、食べ物に向かって、

「私、食べれば食べるほどやせちゃうのよね」

と言い聞かせながら食べるのです。

そして今まで以上に食べないとダメ。

「食べれば食べるほどやせちゃうのよね」と言い聞かせたのだから、きのう以上に今日からたくさん食べないとダメなのです。たくさん食べれば体の中でちゃんと食べ物がそのように反応して、やせさせてくれます。

実際にこれをやった人は何十人もいて、ちゃんとそのとおりになっているからおもしろい。これはいわゆる三次元的な、どこかのビューティサロンでやっているようなダイエット理論とは全然違う。ためしに、食べたいだけ食べてみてください。

何十人かに一人、「全然やせないどころか、もっと太っちゃったじゃないか」と文句を言ってくる人がいます。その例外的な人はどういう心構えであったかというと、「これだけ食べているのにやせるわけがない」と心の中で言い続けていたのです。

自分でそういうふうに言い聞かせていては、やせるわけはない。「食べれば食べるほどやせちゃうのよね」と食べ物に向かって言い、本人がそれを信じて、ひたすら食べなくては効果ありません。

これは物理的な因果関係を説明しようと思えば説明できます。よく知られていますが、一日二食より一日三食と食の回数が多い人ほど意外にやせていて、逆に、一日二食、一日一食の人はとても太っている。これはなぜか？

食の回数の少ない人の体は「食べられるときに食べておいて体に溜め込まないと、おなかがすいたときに食べられないから」というスイッチが入ってしまったのです。

一日二食のダイエットをやってかえって太ってしまうのは、食べた物をどんどん体の中に溜め込んでしまって、外に出ていくものがすごく少なくなってしまうから。

反対に「おなかがすいたときには必ず食べる」という情報を体に与えておくと、「体に溜め込む必要がないのよね」と体がスイッチを入れるので、その結果として、食べれば食べるほどやせていくということになる、という仕組みです。

ダイエットとは信じることとです。本当にこれを信じたら、食べれば食べるほどやせます。実際にそうなっている人は何十人もいるという事実をお知らせしておきます。

そうならない人は心のどこかで「やせるわけはない」と疑っている人なのかもしれません。

Ⅴ　お金に困らなくなるための方程式

トイレをきれいにする人はお金に困らない

宇宙の法則は二千個もありますから、全部しゃべっていくと時間がいくらあっても足りません。その中から、今日はいくつかピックアップしてご紹介しています。

この二千個の中には実に多種多様なものがあって、たとえば、「お金と仕事に一生涯困らない方法」なんていう方程式もあります。

お金と仕事に一生困らない方法、知りたいですか？　本当に？

では、お教えしましょう。これは簡単。

自分の使ったトイレは必ずきれいにして出てくること。

これで終わり。そんなに簡単なことなんですかっていうほど簡単なことです。

これについてはあとでもう少しくわしくお話ししますが、とりあえずここでは、今、頭の中で「どうしてそうなるのですか?」と聞こうとした人に対して、ちょっとアドバイスをしておきます。

私はクリスチャンでもなく仏教徒でもありません。もともとは三十五年ほど前にヘルメットをかぶって棒を振り回していた者です。「ということは野球部だったんですか」とお尋ねの人もいますが、そう言われれば確かに一浪（イチロー）でもありましたから野球部みたいなものかもしれませんが……昔も今もガチガチの唯物論《ゆいぶつろん》者です。なおかつ精神科学研究会という怪《あや》しい世界の研究をしてきたという大変珍しいタイプの人間です。

だから、宗教家ではありません。仏教徒でもないし、クリスチャンでもない。イスラム教徒でもありません。

ときたま仏教典や聖書を読んだりしますが、それはあくまでもいろいろなことを事実として知りたいという動機からであって、別に宗教家になりたいから、クリスチャンになりたいから読むわけではありません。

「なぜかなぜか」と問いかけることなかれ

その聖書の中におもしろいことが書いてあります。

「汝《なんじ》、なぜかなぜかと問いかけることなかれ」

この一文はなかなか奥が深くて、いい言葉です。

「トイレ掃除をするとお金に困らなくなりますよ」という話を私

がしたとき、皆さんが「どうしてお金に困らなくなるんですか」と聞いたとします。このように話を聞いた瞬間に質問をするということは、九割方、話の内容を否定して「受け入れたくない」と言っているのと同じです。「納得の行く説明を受けない限り、おれはやらないぞ」と言っているわけですね。

でも、私の説明に納得しなければやらないという人への私の答えは「別にやらなくてもいいです」。どうしてかと説得してくれなければ自分はやらないと言うのだったら、別に私には説得する義務もないので、好きなようにしてください。

「おまえの言うとおりにトイレ掃除をしてやるから一回につき百万円払え」と言われたら抵抗してもいいですが、特にお金も絡《から》まないし仲間を募《つの》る必要もないという状況のもとでは、ただやればいい。やった結果としてどうなるかは自分で確認できるわけですからね。

それなのに保証がなければやらないというのだったら、別にやらなくてもいい。

宇宙方程式、宇宙の法則というのは、発見したらそれですべて終わり。実に簡単なものなのです。いちいち理由を求めてはいけません。それに説明を求められても説明できるものでもありません。

というわけで、一生涯お金と仕事に困りたくないという人はせっせとトイレ掃除をしてください。この方程式を信じて掃除をしていれば、結果はおのずから出ますからご安心ください。

第二章

宇宙方程式でがんを克服する

目の前にあるものをただ黙って受け入れて、愚痴や泣き言を言わないで淡々と笑顔で乗り越えて生きていく。それが人生のテーマなのです。

Ⅰ　がん細胞をなくす方程式

「ありがとう」の力でがん細胞がなくなる

「ありがとう」を何度も言っているうちにがんが治ってしまったという人がいます。これも宇宙方程式の一つですが、こういう話を実例報告としてすると、「私は胃がんなんですけど『ありがとう』を言えば治るんですか」と聞いてくる人がいます。

そう聞かれると私は「退職しないとダメかもしれませんね。依願（胃がん）退職って言いますから」と答え……というのはまあ冗談ですけれど、「ありがとう」を言っている結果として、がん細胞がゼロになった人がいるというのは本当の話です。

西洋医学では、一度がんが発見されるとがん細胞は絶対に小さくならず、あとは死を待つのみということになっています。西洋医学でお医者さんが「告知」という言葉を使うのは二つだけあって、「妊娠しました、受胎しました」というのが一つ。これは受胎告知というやつです。それともう一つは、がんの告知。これは要するに、知らせたら死の宣告であるという意味で使うわけです。

確かに西洋医学の本を読むと、「がん細胞は絶対に小さくならない（退縮しない）」と書いてあります。しかし、私の周りには実際に「ありがとう」を言って、がん細胞がゼロになってしまった人が何十人もいます。

だから、西洋医学の本に書いてある事実は「嘘だ」ということを一応言っておきます。

そういう話をすると「私の親戚が白血病なんですけど、『ありがとう』を言えば必ず白血病が治るんですね」と確認に来る人がいらっしゃる。それに対する答えは、「私が保証しなければ『ありがとう』と言いたくないというのであれば言わなくていいです」ということになります。お金の方程式と同じことですが、「なぜか？　なぜか？」というふうに問いかける心は九割方否定をしているのです。それでは何も効果はありません。

目の前に起こる現象に意味などない

聖書にある「なぜかなぜかと問いかけることなかれ」という言葉を読むと、もしかしたらキリストはそういう意味を知っていたのではないだろうかと思います。問いかけること自体が否定なのです。

子供に向かって「なんであなたは漫画ばかり読んでいるの？　な

んであなたは勉強しないの？」と言うのは質問しているように聞こえるけれども、実は「あんたが漫画ばかり読んでいるのが気に入らない」と言っているわけです。「質問は否定」とはこういう意味です。

病気になったり、事故に遭《あ》ったり、経営につらいものが生じてきたりすると、必ず電話をかけてくる人がいます。そして、「これにはどういう意味があるんですか」と必ずその意味を聞こうとします。でも、意味なんてない。目の前にあるものをただ黙って受け入れて、愚痴《ぐち》や泣き言を言わないで淡々と笑顔で乗り越えて生きていく。それが人生のテーマなのです。

それを「どういう意味が？　どういう意味が？」といちいち聞いてくるのは、「なぜか？　なぜか？」と問いかけている（否定している）ことにほかならない。否定ばかりしているのですから、何もよくはならない。

まず問いかけるのをやめましょう。そして、よく考えてみてください。

「なぜか、なぜかと問いかけている自分には、どこかに否定をする気持ちがあるのではないか」と。

「よくわっかんない」

トイレ掃除をするとお金と仕事に心配がなくなるし、「ありがとう」を言っているとがん細胞がなくなってしまう。そういう宇宙の方程式があるのです。どうしてって言われても、どうしてなのか、私にはよくわっかんない。

この「よくわっかんない」は「わ」と「か」の間に百分の一秒の

間合いが入ります。

私には二人の子供がいまして、上の子が二十三歳、下が二十二歳。上の二十三歳の子が知的障害で、現在、知能が六歳から七歳ぐらいです。

この子が小学校のときに「今日は給食を食べた?」と聞くと「給食あったよ」と答えました。「どんな給食だったの?」と二つ目の質問すると、「うーんとね、カレーだった」。「カレーはなんのカレーだったの?」と三つ目の質問をすると、「うーんとね、野菜が入っていたから野菜カレー」と言いました。

それから四つ目の質問で、「今日はお絵描きの時間があったの?」と聞くと、この子は記憶装置が三つぐらいしかないみたいで、ジーッと十秒ぐらい「うーんとね……」と考えて、そのあとに出てきた言葉が、

「よくわっかんない」

でした。

この「よくわっかんない」という言葉は便利ですからよく覚えておいてください。女性の方なら家に帰ったときに、「夕食はつくってないし洗濯物は取り込んでないし、一体何をやっていたんだよ」と夫から小言を言われたようなときに、ムカッとしないで「よくわっかんない」と使ってみてください。

これが使えるようになると、ものすごく役に立ちます。夫に何か腹の立つことを言われたら、とにかくニッと笑って「よくわっかんない」。

そうすると、向こうがさらに怒り狂って何か言ってきますから、また三秒から四秒間合いを置いてからニッと笑って「よくわっかんない」。

ずーっと五回ぐらいそういうやりとりを繰り返していると六回目には話しかけてこなくなります。それで問題は解決。

これ、覚えておくと本当に役に立ちます。

というわけで話をもとに戻しますけれど、どうしてトイレ掃除をするとお金に困らないんですか？　どうしてありがとうと言うとがん細胞がなくなるんですか？　と聞かれた場合の私の答えは、「よくわっかんない」。何を聞かれても「よくわっかんない」です。わかりましたか？

Ⅱ　がんになりやすい人の方程式

がんになりやすい職種ベストスリー

がんの話が出たのでついでに言っておきますが、がんになりやすい職種ベストスリーというのがあります。これ、ベストスリーと言うのかワーストスリーと言うべきなのか、どっちでしょうね。なんとなくベストスリーとは言いたくないところですけど、とりあえず、がんになりやすい職業が三つある。

これは同じ職業千人当たりのがんになる罹病率《りびょう》というのを計っていくとわかるのですが、一番はマスコミ関係者。マスコミ関係者の中には新聞配達の人は含みません。番組を作っている人とか、新聞の原稿締め切りにいつも追われている新聞記者というような人ががんにすごくかかりやすい。

二番目にがんにかかりやすい人は交通関係者。電車の運転士、バスの運転手、飛行機のパイロット、スチュワーデスといった時間に遅れてはいけない仕事。特に電車の運転士というのは寝坊することは絶対許されないし、一時間前には詰め所に行って、五分前にはちゃんと運転席の脇のプラットフォームの先頭に立っていなくちゃいけない。三分、四分遅れても電車が動かないわけですから、絶対に五分前には行っていなくてはいけない。これは相当ストレスが溜まるらしいです。そのせいか、交通関係の人はがんになりやすい。

三番目は金融関係者。人のお金を預かって儲《もう》けさせなくてはいけないという状況になっている人。この金融関係の人には銀行員も証券マンも全部含みます。聞くところによると、預かったお金が毎日一円単位でぴったり合っていなければ、男性社員は家に帰ることができないそうです。全部当日に処理しなければいけないという状況に日々さらされているわけです。これも相当のストレスですね。

数字を追いかけてはいけない

このマスコミ関係と交通関係と金融関係の三つを合わせて一言で言うと、「数字に追われ、それを追いかけている人ががんになりやすい」という方程式になります。

見方を変えれば、子供に対して、成績を上げろ、順位を上げろ、偏差値を増やせ、もっとテストでいい点を取れ、というように数字を押しつけてやらせているという親は、子供をがんで殺そうとしているのに等しい。そういうふうに押しつけられた子供は、必ず大人になったらがんになって死んでしまう。

数字が自分の体にのしかかってきたときに、それは体の外側では「数字」という名前であったとしても、体の中に入ると「がん細胞」という名前に姿を変えるのです。

だから、「ノルマを達成しろ」と一生懸命社員に向かって言っている社長や専務は、その数字を押しつけた瞬間、社員に「がんになれ」と言っているようなもの。「この社員、気に入らないからがんにしちゃえ」という場合は、その人にノルマを押しつければ、その人だけがんになるかもしれません。

優秀な社員を死なせたくないのであれば、数字を押しつけないことです。優秀であればあるほど数字を追いかけて数字を達成するのですが、達成する能力が高い人ほど早くがんになって早く死にます。優秀な人ほど、早くがんになって早く死ぬ。これは大変に興味深い現象です。

だから皆さんは、「数字を追いかけちゃいけないんだ」ということをぜひ頭に入れておいてください。

人間は喜ばれて生きるために生まれてきた

人間は何のためにこの世に生命・肉体をもらったのでしょうか。それは喜ばれる存在になるためです。数字を追いかけるためでは決してない。

数字を追いかけるというのは、左脳の部分だけを働かせて、いかに会社の売り上げを上げてシェアを伸ばすか、いかに他の人をたたき落として自分の売り上げを上げるかを考えるということです。これを右脳を中心として考えると、いかに自分が喜ばれて笑顔に囲まれて生きるか、という方向に考えを切りかえることができる。人は一人で生きていて人、人の間で生きていて「人間」。まさに、この「人の間」で生きてこそ「人間」として生まれた価値があるのです。

だから、自分で達成目標・努力目標を立てて、それを数値化して……というのは、実は人間としての生き方から一番遠いものになっている。一番遠い生き方をしている人に対して、向こうさん――向こうさんというのは上のほうにある四次元とか五次元のほうの方のことですが――は、「この人を長生きさせる意味があるんだろうか」と問いかけているのです。

「汝《なんじ》、なぜかなぜかと問いかけてはいけない」と言っている本人が問いかけている。このような問いかけをするのは否定しているのと同じですから、要するに「この人は長生きさせてもしようがない」という結論になるわけです。その結論に従って宇宙は動いていくくみたいです。

宇宙には感情や情緒はありません。ただ宇宙の法則どおりに動くだけ。数字を追いかけて数字のために生きている人は、人間として生きる本来の目的の反対の道を歩んでいるわけですから、あらかじめ体の中に仕組まれているプログラムが「早く体が壊れるように」と働くのです。皆さんの体の中には自爆装置が仕組まれています。みずからの体が壊れる装置、そのプログラムを皆さんが持っているのです。生まれる前にすでに持っている。

そして、数字を追いかけるということを始めた瞬間に、そのスイッチがカチッと入る。人間はもともと喜ばれるためにこの世に生まれてきたのであって、数字を追いかけるためにこの世に生を受けたのではない。だから、数字を追いかける職業の人ほど、自爆装置が働いて、どんどん体が壊れるようになっているのです。

Ⅲ　乳がん、子宮がん、卵巣腫瘍になる人の方程式

三つの口ぐせ

　ある病院の副院長を十五年務めてきた友人がいます。その病院は終末医療をやっていて、他の西洋医学の病院で見放されたがん患者だけが入院してくるところでした。終末医療というのを文字で書くときにウイークエンド（週末）と書かないようにしてくださいね。「土曜と日曜しかやっていない病院なんですか」と聞く人がいるのですけれど、終末医療ってそういう意味じゃないですから。人生の終末という意味ですから。

　それで、他の病院で見放されてここの病院に流れ込んできた人の

うち、大体六割の方は亡くなりますが、四割の人は治って社会復帰するというのです。他の病院で見放されたがん患者の四割が社会復帰するというのはすごい。奇跡的です。

この病院では、月に一回、おもしろい先生を呼んできて患者さんに話をしてもらうという講演会を主催していました。それになぜか私も引っかかって呼ばれていって、何十人かの入院患者の方たちにお話をしました。

それ以来、副院長とお付き合いがあるのですが、何回か会って話しているうちに、末期がんの患者のうちの乳がん、子宮がん、卵巣《らんそう》腫瘍《しゅよう》の人に共通項があるという話になりました。

この副院長さんが「正観さん、共通項を発見するのが大好きみたいだけれど、乳がん、子宮がん、卵巣腫瘍の人には共通項があるんですよ。わかりますか」と私に聞きました。「わかった。全員女性でしょう」と答えると「当たり前です」と呆《あき》れられましたが、私は非常におもしろく思って「共通項を研究している私としてはぜひ知りたい」と教えてくれるように催促《さいそく》しました。

そこで彼が教えてくれたのは、乳がん、子宮がん、卵巣腫瘍の女性たちは全員が次の三つの言葉を繰り返し口にしてきたということでした。

一つ目、女になんか生まれたくなかった。

二つ目、男に生まれてきたかった。

三つ目、今度生まれてくるときは絶対男だ。

そう言い続け、思い続けてきた人たちだそうです。それをずーっと自分の体に言い聞かせ、思い続けてきた結果、自分の体が反応し自分の人生のすべての出来事を否定的に論証し、否定的に評価している人は、「生きているのがそんなにつらいんだったら早く死んじゃいましょうね」と体が反応するのです。

た。「わかりました。じゃ、女でなくなっちゃいましょうね」というわけで、女性特有の器官を切り取る方向に動いた。

誰のせいで？

自分の言葉のせいで、自分の思いのせいで。

思いと言葉が発病の引き金となる

食べ物、環境、水、大気汚染……そういうことも何％かはがんの発病にかかわっているかもしれません。けれども、大気汚染や水というのは、乳がん、子宮がん、卵巣腫瘍にならない人たちも、同じ水を飲み、同じ空気を吸っているのです。

だから、原因としてはそういうこともあるかもしれないけれど、同じ条件でも一部の人たちだけがんになるのはどうしてかと考えると、どうも三つの言葉に込められた思い、そしてそれを具体的に表現した言葉が引き金になっているのかもしれない、という結論になりました。

そして、この乳がん、子宮がん、卵巣腫瘍の三つの話をもう二、三歩奥へ進めると、実は次のような結論が導き出されてくるのです。

つらい、悲しい、つまらない、嫌だ、嫌いだ、疲れた、不平不満、愚痴、泣き言、悪口、文句、恨《うら》み言葉、憎しみ言葉、呪《のろ》い言葉……これらを口にする人は早死にしてしまう。

自分の人生のすべての出来事を否定的に論評し、否定的に評価している人は、「生きているのがそんなにつらいんだったら早く死んじゃいましょうね」と体が反応するのです。

要するに、「女になんか生まれたくなかった」と言ってきた結果として、女性特有の器官を切り取らせる方向にみずからの体が動く。

そして男女に関係なく、人生に対して「つらい、悲しい」ばかりを言っている人は、「生きているのがそんなにつらいんだったら早く死んじゃいましょう」と体が反応するというわけです。

「どうもいろいろなことが自分の思いどおりにならない」という人は、そういう口ぐせが邪魔《じゃま》をしていないかどうか、一度チェックしてみるといいかもしれませんね。

Ⅳ　病気にならない体をつくる方程式

熱が出たら無理に下げようとしてはいけない

人間の体の壊れ方というのは次の五つの過程をたどります。

①まず最初にストレス。
②ストレスが溜まって疲れになる。いくら眠っても全然とれない疲れ。
③次に、こり、張り、痛みの始まり。
④こり、張り、痛みを放置しておくと臓器が故障。臓器の故障イコール病気。
⑤さらに進むと臓器が機能を停止。臓器の停止イコール死。

臓器は一個でも故障したら、他の臓器が補ってなんとかなるというものではなく、一個でも止まると「死」なのです。「心臓が止まったから代わりに肺が動いて！」と肺に対していくら呼びかけても「はい」とは言わない。「心臓が止まったらどうしよう」――これを心配（心肺）すると言いますが、これは非常（脾臓《ひぞう》）に簡単なことですけれど、とても重要で肝心（肝腎）な話です。

五臓六腑《ごぞうろっぷ》という言葉がありますが、この五臓というのは心・肺・肝・腎・脾《ひ》を言います。心臓、肺臓、肝臓、腎臓まではすぐに言えますけれど、脾臓というのが意外に出てこない。この五つ目の臓器は「非常（脾臓）に大事」と覚えておくと忘れません。

実は「心・肺・肝・腎・脾」の五つの臓器の中でがんにならない

臓器が二つだけあります。一つは心臓。心臓がんって聞かないでしょう。もう一つは脾臓です。この二つに共通していることは何かと言うと、いつも血液に満たされている、ということ。温かい臓器はがんにならない。がん細胞は冷えて冷たくなったところにだけ宿るのです。だからいつも臓器を温めておけばがんにはならない。簡単な話です。

では、臓器全体を温めるにはどうすればいいのか。これも簡単。心臓から一番遠い部分を常に動かしていればいいのです。そうすると臓器が必ず働いていて、結果として臓器そのものを温めている状態になります。

心臓から一番遠いところというのはどこでしょう？　足の先、右足の小指ですね。この右足の小指を自分の意思で動かしてみてください。右足の小指を毎日十分とか二十分、グー・チョキ・パーと一生懸命動かしていると、下半身に血が通うようになります。冷え性ももちろん治ります。冷え性の人はがんになりやすいのですよ。

臓器が冷えていると、その冷えている臓器にがん細胞が宿る。したがって、三十七度ぐらいの温かいお湯、つまり血液という名前の温かいお湯に満たされている心臓と脾臓はがんになりません。このように事実を見つめていくと非常におもしろい。体というのは、実にうまくできているのです。

マラリア患者がいなくなってがん患者が発生したわけ

あるヨーロッパの国の話です。昔、その国の首都の郊外にある湿地帯の中に小さな沼がありました。この沼地の周りに住んでいる住民はマラリアに脅《おびや》かされていました。この沼から発生する蚊がマラリアの病原菌を持っていて、そのため年間に何十人かのマラリア患者が出ていたのです。

それで住民が政府に、「この沼を埋《う》め立ててくれ」と陳情《ちんじょう》しました。そうしたところ政府は、「自然環境を破壊することはできない」と答えたのです。マラリアの蚊が存在するのも自然環境である。それを自分たちの都合で勝手に破壊することはできない、と言ったわけです。

その結果として住民は何を考えたかというと、お金を出し合って、この沼地を買い取ることにしました。これは想像つきますね。買い取って埋め立てたのです。それで翌年からマラリアの患者が一人も出なくなった。

これで話が終わるとなんのためにこの話を持ち出したのかが全然わかりませんね。

さあ、マラリアの患者は一人も出なくなったけれど、今度はそれまで一人も出たことのないがん患者が発生するようになったのです。

なぜか?

実はマラリアの蚊に刺されて発熱した人は、その熱の結果として、がん細胞を体の中で殺していたのです。

皆さん、もし風邪を引いて三十九度以上の熱が出たら解熱剤を使わないでくださいね。出るがままにまかせる。ただし、四十三度を超えると脳細胞が破壊されて、さらに体のタンパク質が固まってしまうので、ゆで卵ならぬゆで人間になってしまいますから要注意。

だから四十度を超えたところからは額にはちゃんと氷のうを当てて冷やしたほうがいいのですが、熱は無理やり解熱剤で下げないほうがいい。

体の内部が熱を発しているというのは、風邪のウイルスが熱を出しているわけではありません。風邪のウイルスやがん細胞は三十九度以上の熱に対して全部死滅するという性格を持っているからです。つまり、発熱しているのは自分の体なのです。ウイルスを殺すために自分の体が発熱して、その三十九度の熱に耐えられなくて風邪のウイルスが全部死んでしまうという仕組みになっている。

ということなので、解熱剤を飲んで発熱を命じている脳の中枢に働きかけて体が熱を落とすと、熱は下がるけれどウイルスは死なないまま体の中に居続けることになります。この状態を「こじらす」と言います。風邪をこじらせると、風邪のウイルスが体のあちこちに入り込んで、いろいろな悪さをする。したがって、とりあえずは解熱剤を使わないで頭だけ冷やして、体が発熱するのを「ありがたい、ありがたい」と思いながら見守ったほうがいいのです。

今までの何十年かの間、自分の体にストレスを溜め込むような生活をしてきたという人、あるいは数字を追いかけてきたという人は、六十兆ある細胞（体重六十kgの人の場合。体重一kgに対し細胞一兆個）のうちの何億個かががん細胞に変わっているかもしれません。発熱は、このがん細胞を一掃するチャンスです。だから無理に熱を抑えないことを心がけてください。

脳だけはとりあえず保護しなくてはいけないので冷やす必要がありますが、体が熱いときは、とにかくその熱に体をゆだねてしまう。そうすると、風邪のウイルスも死ぬし、がん細胞も消滅するのです。

がんになる人は風邪を引かない人です。風邪を引くとすぐに解熱剤や風邪薬を飲んで熱を抑えて仕事を続けるような人もがんになりやすい。そういう人の体の中では、がん細胞は楽々と生きていくことができるからです。だから、発熱したら、そこに賭《か》ける。

ただし、おでこと首筋は冷やしたほうがいい、ということを忘れないでください。

「私は温泉卵」というイメージで

ここまで、がんになりやすい人とか、がんになりやすい臓器の話をしてきましたけれど、そこを事実として見ていくと結構いろいろなことがわかってきます。私の講演をお医者さんが聞きに来ることがよくあるのですが、今のような話をするとメモして帰ります。

現在の西洋医学では、お医者さんは医学部で対症療法を習います。しかし、〝社会現象としてのがん〟とか〝社会現象としての病気〟という捉《とら》え方はあまりしません。そのせいか、四十年間、人間社会と社会現象を見つめてきた私が唯物論《ゆいぶつろん》的にたどり着いた結論というのは、お医者さんにとってもおもしろいらしいのです。

というわけで、唯物論的な結論から言えば、職業的に数字を追いかけている人はがんになりやすい。それから、血液がいつも満たされている心臓や脾臓はがんになりにくい。三十七度のぬるま湯状態にいつも置かれている臓器というのは非常にがんになりにくい。ということになります。

がんになりたくなかったら、サウナに入ったり、温泉にいつもつかったりするといい。まあ東京で働いている人はなかなか温泉につかることはできないでしょうけれど、温泉はいい。

温泉卵というのがありますね。あの温泉卵というのは外側が半熟で、中だけ固まるでしょう。つまり、温泉というのは普通のお風呂と違って中が温まりやすいのです。外側の筋肉を温めるのではなくて内臓を温めることができる。だから、お風呂よりは温泉のほうがいいのです。入浴剤を入れた温泉じゃないですよ。本物の温泉。

体の調子が悪いなという人は、温泉で臓器を内側から温めてしまうといいのです。「私は温泉卵、私は温泉卵」というふうにイメージしながら温泉につかっていると、体の中の臓器が温まってがん細胞がなくなるという仕組みになっている、ということですね。

宇宙には本当にいろいろな方程式があります。とりあえず一章、二章では「宇宙にはこんな方程式があるんだ」という〝さわり〟の部分をご紹介してきました。とりとめもなく話があちこちへ飛んでしまいましたが、おわかりいただけたでしょうか？

次章からは、このような宇宙の方程式を生かして幸せな人生を送るにはどうすればいいのか、ということについてお話ししていこうと思います。

第三章

すべての苦悩煩悩をなくす方法

悩み苦しみ、苦悩煩悩がなくなるとどうなるか想像がつきますか？　その答えは「夢も希望もない暮らしに至る」。ここのところが大変おもしろい。

Ⅰ　あらゆる病気はストレスに原因がある

思いどおりにならないことがストレスになる

現在の日本人の死因ナンバーワンはがんで三二％。死ぬ人の三人に一人ががんで死んでいます。第二位は心臓麻痺《まひ》・心筋梗塞《しんきんこうそく》で一五・六％。第三位が脳梗塞・脳溢血《いっけつ》で一五・四％。二位と三位の差は〇・二％です。

心筋梗塞と脳梗塞というのは原因が両方とも高血圧です。そして高血圧の原因はストレス。つまり、高血圧＝ストレス、ストレス＝高血圧という因果関係があります。そしてストレスというのは「自分の思いどおりにならない」ところから始まります。

これから私は皆さんにストレスをゼロにする方法をお教えします。しかし、その方法は教えますが、私が皆さんのストレスをゼロにしてあげることはできません。私はキリストでも釈迦《しゃか》でもないので、皆さんのストレスをゼロにしてあげることはできないのです。

ストレスをゼロにしたいと思うのなら、皆さん自身が私の教える方法を覚えて、それを実践していただかなくてはなりません。

実は、私には悩み苦しみ、苦悩煩悩《ぼんのう》が全くありません。よってストレスはゼロ。幸せだけ一万%で生きている状態です。人間は生身の体を持っているのですが、それでも悩み苦しみを全く持たずに生きていけるという実例がここにあるわけです。

一生悩みから解放されるこの方法論を聞いた人の中で、今、二千人ぐらいの人が苦悩煩悩ゼロで生きています。皆さんは悩み苦しみ、苦悩煩悩がなくなるとどうなるか想像がつきますか？

その答えは「夢も希望もない暮らしに至る」。

ここのところが大変おもしろい。

悩み苦しみ、苦悩煩悩というのは今も言ったように「思いどおりにしたいことが思いどおりにならない。それをなんとか思いどおりにしたい」というところから始まります。それはまた、夢や希望の始まりでもあるわけですね。

ところが、今自分が置かれてる状況がものすごく恵まれているということに気がついてしまったら悩み苦しみがなくなってしまうわけですから、その結果として夢や希望を語らなくなってしまうのです。それは今日の本筋である「ありがとう」の話に当たるのですが、それについてはあとでゆっくりお話しします。

思いを持たなければ心が軽くなる

さて、ストレスによって高血圧が起こり、高血圧によって血管がブチッと切れるというところから心筋梗塞も脳梗塞も始まっていると言いました。そして、そのもととなるストレスは自分の思いどおりにならないことが生んでいる。

だから、何事も思いどおりにするために、人の五倍、十倍、二十倍、三十倍努力をしなさい――というのは西洋的な解決方法です。今の学校教育は、この西洋的な解決の方法しか教えません。それ以外の話に普通の人が出合うことはない。

また会社などでも、事が成らないのは「なさぬは人のなさぬなりけり。なせぬは人のなさぬなりけり」であるという考え方をします。つまり、「努力が足りないから目標が達成できないのだ」というふうに言ってきていると思います。

しかし、この考え方では、努力して思いどおりになった人はいいとして、そうならなかった人は相変わらず「思いどおりにならない」ストレスを溜め続けるしかありません。その結果として、体が壊れて死の方向に向かうことになってしまいます。

実は、この流れを改善する方法がもう一つあります。東洋的な解決方法です。

東洋的な解決方法とはどういうものでしょうか。一言で言えば「思いを持たない」ということです。何かをどうしたいと思うのをやめるのです。

思いがなければ軽い。思い（重い）がないのだから軽いわけです。唯物論として、事実として――観念論とか宗教論ではありません――私はその仕組みに気がつきました。

もう一度言いましょう。

ストレスとは自分の思いどおりにならないことにある。そしてストレスを感じないためには二つの方法がある。一つは、人の五倍、十倍、二十倍努力をして、その思いどおりの結果を得る西洋的な解決方法。もう一つは東洋的な解決方法で、思いを持たないこと。「思い」を持たなければストレスは生じない。

この東洋的な解決方法は、お釈迦様が二千五百年前に説いていています。般若心経《はんにゃしんぎょう》という二百六十二文字からなるお経がありますが、その中で釈迦が後世の人に伝えたかったのがこのことだったというのが私にはわかってきました。

ただし、今の仏教の担《にな》い手であるプロの僧侶たちは、どうも「大《たい》願成就《がんじょうじゅ》」とか「願いを叶《かな》えよう」という方向に引きずられているようです。そのため、このお釈迦様の教えがほとんど理解できていない。現代文明＝西洋文明という方向の解決策に引きずられて、「頑《がん》張《ば》れ頑張れ」という方向に行っているお寺さんが多いみたいです。

しかし本当は、一休さんにしても良寛さんにしても、「そういう方法論じゃないんだよね」と言っていたのです。でも、仏教の本当の僧侶のありようというのはおとぎ話や伝説の中に埋没《まいぼつ》してしまい、かつての僧侶の生きざまが釈迦の生き方をそのまま伝えるものだったということを今のお坊さんたちは忘れてしまっているみたいです。

その結果として、今の仏教界は、頑張れ頑張れ、大願成就、願いをかけて叶えなさい、という方向に行ってしまった。でも、釈迦は「そんなものにとらわれる必要はない」というふうに言っていたのです。

Ⅱ　悩み苦しみの本質は「執着」と教えた釈迦

苦しみの本質は執着にある

般若心経の中に「観自在菩薩《かんじざいぼさつ》　行深般若波羅密多時《ぎょうじんはんにゃはらみったじ》」とあります。観自在菩薩とは、自在にものを見通せる能力を持った菩薩様、観音菩薩のことです。「この自在にものを見通す力を持った菩薩様が悩める人間を救済するために深い行に入っていたときのことである」というのが、「観自在菩薩　行深般若波羅密多時」ですね。

次に「照見五蘊皆空《しょうけんごうんかいくう》、度一切苦厄《どいっさいくやく》」とあります。「照見五蘊皆空」というのは「照らし見るに五蘊はすべて皆空なりとお悟りあそばされた」という意味。「度一切苦厄」の「度」というのは「渡すことができる」ということです。つまり「此岸《しがん》＝自分たちが生きているこの世界から、向こうの世界＝彼岸《ひがん》へ、すべての災いや悩みを持っていくことができるということをお悟りあそばされた」。これが「照見五蘊皆空、度一切苦厄」です。

釈迦の言葉に「四苦八苦」というのがありますけれど、釈迦は「苦」の本質は「執着《しゅうじゃく》」であると言いました。そして、この執着をなくせば人間は悩み苦しみを滅することができる。毎日毎日、目の前に起きてくる現象について、執着をなくそうとしていれば幸せになることができる。その実践のことを釈迦は「道（どう）」と言いました。

この「道」は、釈迦の言った「四諦（したい）」の中に出てきます。「諦（たい）」という字は〝諦め〟と書きますが、〝悟り〟のことです。つまり、四諦とは「四つの悟り」という意味になります。

釈迦は四諦には「苦《く》、集《じゅう》、滅《めつ》、道《どう》」があると言っています。この四つにそれぞれ「諦」という字をつけて、「苦諦《くたい》、集諦《じったい》、滅諦《めったい》、道《どう》諦《たい》」。これが釈迦の言った四諦です。

四諦の一番目は苦諦。人生のほとんどが苦に満ちている。人生はとてもたくさんの苦に満ちているものである、というのが釈迦の最初の悟りでした。

そして二番目は、苦の本質は集であるということ。集は執着の執と同じです。だから、苦の本質は執着であると釈迦は言っているのです。

三番目に、苦を取り除くためには執着をやめればいい。それが滅諦という悟りです。

最後の四番目は、目の前に起きてくる日常もろもろの出来事について、その滅諦の方程式をあてはめながら実践していく。その行いを道諦と言ったわけですね。

この「苦、集、滅、道」の四種類をやっていくと、人間は悩み苦しみがなくなってしまうとお釈迦様は言いました。

十万件の人生相談

話は少々横道に逸《そ》れますが、私は二十代のころから日本全国を旅していました。十八歳のときに一浪して、その年の九月に初めての一人旅をしました。実は私、そのころから三十二、三歳に見られていました。

十八歳のいたいけな若者が北海道を一人旅しているときに、二十七、八、九歳ぐらいの三人組のＯＬさんたちと一緒になりました。当時は列車の本数があまり多くなくて、乗っていく列車がほとんど一緒。それで、宿も含めて一週間ぐらい一緒に旅をしたのですが、その三人組の女性から「お兄さん」「お兄さん」と言われ続けて、結局、実際の年齢をしゃべることができないまま、というような体験をしました。

逆に、四十二、三歳になったときでも三十三歳ぐらいに思われて、「三十三ぐらいですか?」とよく聞かれたものです。

四十歳のときに高校の同窓会が二十二年ぶりにありました。初めての同窓会です。男ばかり四百五十人の卒業生のうち、集まったのが百八十人。卒業後二十二年も経っているから、二、三人ぐらいは性転換してるかなと思いましたが、誰も転換してなくて全員男のままでした。

その百八十人の人間が、全員私の顔を覚えていました。ほとんど覚えられていないという人もいましたが、私の場合は成績が特によかったわけではないのに、みんなが覚えていた。その百八十人のほとんどは私を見て同じことを言いました。

「正観、お前、変わっとらんな」

「あのころと全く同じだよな」

「十八のころからこういうしゃべり方してたもんな」

一人だけ、「高校生のころからこういうしゃべり方をしてたっていうのは可哀相《かわいそう》だよ」と弁護をしてくれる男がいました。ああ、この人は助けに入ってくれたんだと思っていたら、彼は言葉を続けてこう言いました。

「正観がこういうしゃべり方をしてたのは中学生からだ」

全然弁護してくれてない。

そういうわけで、私は十代の後半から老《ふ》けて見られ、そのせいで旅先でいろいろな人から相談を受けてきたのです。顔を見るとなぜか相談したくなるらしいのです。

相談の中身はさまざまありました。会社を辞めるほうがいいかとか、今の恋人とどうすればいいかとか、ありとあらゆる悩みを相談されました。そのときから人生相談を受けた件数を合計すると十万件を超えています。

おもしろいことに、いろいろな相談を受けていると、相談の内容によってその人がどういう人相をしているかというのがわかるようになります。「こういう人生相談をする人はこういう顔をしているのか」というのがわかってくる。

つまり、私の場合、人相学・手相学が占いの範囲ではなくなって統計学になっている。「こういう顔の人はこういう悩みを持っている」「こういうことで苦しんでいる人はこういう顔をしているんだ」

というのが、因果関係としてかなりわかるようになったのです。

「死にたくない」というのも執着

私は占い師ではありません。それなのに十万件の人生相談を受けることになった。私は旅行作家が本業ですから年間に二百数十日の旅をしますが、旅先でいつも二十人、三十人の人から人生相談を受けていましたから、それが積み重なって膨大《ぼうだい》な数になったわけです。

相談を受けるたびに、私はこんな話をしました。

お釈迦様は二千五百年前に悩み苦しみの根底は執着だって言っていたみたいですよ。そして「苦、集、滅、道」の四諦をやっていくと、悩み苦しみはなくなるとお釈迦様は言っていました。だから、やってみてください——と。

そして旅から帰ってきて半年か一年経つと、手紙や電話が来て「そのとおりやっていたら悩み苦しみはなくなってしまいました。ありがとうございました」とお礼を言われることが多々ありました。

そういうことが何年も続いた結果として、私も「四諦」を実践してみようかなと思うようになりました。私は四諦について教えてはいましたけれど、実は自分でやってはいませんでした。でも、あまりにもみんなが悟って「楽になった」という話を聞くので、やってみようかな、と思うようになったのです。

たびたび言っていますが、私は唯物論者です。大学時代は階級闘争というのをやっていました。「あれをよこせ、これをよこせ」と言って日本政府と戦っていたわけです。しかし、どうもそういう方法論とは違う幸せの方法論があるみたいだと思うようになりました。

それが釈迦の教え＝東洋的な解決方法だったわけですが、他人にそれを教えて、その結果として皆さんがどうも楽になっていったらしいという事実を突きつけられて、おもしろそうだと思って自分でもやり始めたのです。

そして、目の前の問題について執着を滅すればいいのだ、ということで一つひとつやり始めたら、一年後ぐらいに全く何も悩み苦しみがなくなってしまいました。自分で実践してみて、「悩み苦しみとは思いどおりにしたいというところから全部生まれてきているものだ。執着が全部悩み苦しみのもとなんだ」ということをはっきり悟りました。

こういう話をすると、必ず質問をする人がいます。

「三か月後にがんで死ぬと宣告を受けているのですが、どうすればいいんですか。私がどう悟ったって、その死は必ず来るじゃないですか」

これは「三か月後に死にたくない」という執着ですね。わかりますか。

皆さんは「病気で死ぬぞ」と言われたときに、死なないことを前提として「死ぬことはいけないことで嫌なことだ」という立場でものを考えるのが当たり前になっています。しかし、「死にたくない」というのも執着だと気がつくと、何かの病気であると言われても全然なんともない。ただ予定どおり死んでいくだけ、ということなのです。

それはいけないことでも嫌なことでもない。なんでもないことなのです。

自分が聞いて楽しくない予言だったら、それに対して関心を示す必要は全くない。一〇〇%当たらないのだ、ということをここで申し上げておきます。

Ⅲ　悪いほうがいい予言は信じないほうがいい

悪い予言は一〇〇%当たらない

私は初対面の方でも顔を見ているといつごろ死ぬかがわかりま
す。でも、それを聞きにこられても絶対に答えません。それを口に
出してしまうと、私は自分の信用のためにその人がそのときに死
んでもらいたい」と祈るようになってしまうからです。
皆さんが、もしどこかの霊媒師《れいばい》や霊能師という人から「〇〇をし
ないと何年後に死ぬ」とか「大病する」とか「交通事故に遭うぞ」
というような楽しくない予言を受けたら、その瞬間にニッと笑って
お金を払わないで帰ってきてください。その人には当てる能力は全

くないということを今ここでお教えしておきます。

なぜか？　それはこういうことです。たとえば「五百万払ってお祓《はら》いをしないと交通事故に遭うぞ」と、ある占い師が言ったとすると、その瞬間からこの占い師は自分の信用のために「この人が交通事故に遭ってほしい」と祈り始めています。

このように、悪しき予言をし、さらに自分の信用のために悪しき予言が実現してほしいと思い始めた瞬間、その人は自分では気がついていないけれども悪魔に魂を売ってしまっているのです。

この「本人には気がついていない」というところが重要です。その人は気づかないまま悪魔によって魂を上手にコントロールされてしまっている。そのため聖なる側の正しい情報を絶対に取れなくなっている。だから、悪い予言は一〇〇％当たらないし、一〇〇％信じなくてよろしいということになるわけです。

繰り返しますが、自分が聞いて楽しくない予言だったら、それに対して関心を示す必要は全くない。一〇〇%当たらないのだ、ということをここで申し上げておきます。

楽しい予言は人間を元気にする

それとは逆に、自分が聞いて楽しくて仕方がない、心が踊り細胞が活性化するような予言をしてくれる人がいたら、その人の予言は聞いたほうがいいでしょう。その人は元気になるような予言をしてくれたのだから、聖なる側にいる可能性が高いのです。

では、これから私が皆さんを聖なる側の人にしてさしあげますね。お友達でも誰でも構いません。その人と握手をしながら、にっこり笑って「今度あなたとお会いするとき、あなたは若くてきれいになっていますよ」という予言をしてください。

そういう予言をしたら、「自分の信用のためにそれが実現してもらわなくてはいけない」というふうに、あなたは祈り始めます。このような良い予言が実現しますようにと祈るというのは、あなたが聖なる側の一人になったということなのです。

この予言の練習をしてみるとちょっとわかると思うのですが、自分の近くにいる人で、そういうふうに楽しいことを言ってくれる人がいたら自分が元気になるでしょう。要するに、嫌な予言ではなくて、楽しい予言をしてくれる人は、良い友人であるということです。

そういう基準で友人を選んでいって、自分もそういうふうに選ばれるように、自分の口から発する言葉をちゃんとコントロールしていくと、あなたはどんどん元気になっていきます。友達はそういうふうに選ぶものなのですよ。

どうですか？　予言するのは楽しいでしょう？　心の中では「限度があるけど」と思いながらも……。

でも、現実には、こういう予言は本当に実現するものです。私は講演会で、「今度皆さんとお会いするときは、もっと元気に若々しくきれいになっていますよ」と予言をしていますが、そのせいか、年代に関係なく若くていきいきとして素敵な人ばかり集まります。

何度も来てくださる方もいるのですけれど、本人も口には出さないけれど、実感するところがあるのだと思います。他の人から見ても、そう見えるようです。実際、どんどん若々しく元気になっていくのですから。

このように物事の因果関係を話していくと、「そうか、損得勘定として否定的なことばかり考えると損だ」ということに気がついてきませんか？　この気づきがとても大切なのです。

Ⅳ　死ぬことはそれほど大変なことではない

心筋梗塞・心臓麻痺を永久に防ぐ方法

先ほどストレス＝体を壊すもとであるという話をしましたが、きのうまで心筋梗塞《こうそく》や心臓麻痺《まひ》で死ぬかもしれなかったという状態から簡単に脱出する方法というのがあります。これは宇宙にある二千の方程式の中の一つ。二千の情報の中にはこんな情報もあるのです。

簡単ですから、やってみてください。

まず朝起きたら心臓の上を十回叩《たた》きます。

そうすると、とりあえずその日の夜までは心臓は止まりません。

今度は夜寝る前に十回叩いておいてください。

すると翌朝も心臓が動いた状態で目覚めます。

これを毎日ずーっと続けていたら、永久に心臓麻痺で死ぬことはありません。

「じゃあ絶対に死なないのね」

そう聞く人がいます。だから私はこう答えます。

「叩いている間は死にませんが、忘れる日があります」

忘れないようにしましょう。

死んだらどうなる!?

でも、死んだとしてもそれは別に怖《こわ》いことではないのですよ。死ぬとはどういうことなのか。

それはたとえばこういう感じです。

ゆうべ泥酔《でいすい》状態で家に帰ってきた。駅を降りてフラフラになったところまでは覚えているけれど、そこから先の記憶がない。どうやら千鳥足《ちどりあし》で家まで帰ってきて、くたくたの状態で倒れこんで寝てしまったらしい。それなのに朝起きたらすごく気分がすっきりしていた。体も重たくないし、二日酔《ふつかよ》いも残ってないし、頭も痛くない。すごく爽《さわ》やか。

ルンルン気分で冷蔵庫まで行って、牛乳を飲んで、「ああ、気分がいいな、今日は」と思っていると、そこに妻が起きてきたので「あ、おはよう」と言って肩を叩いたけれど、妻は何も反応しない。次に子供が起きてきたので、子供にも「おはよう」と声をかけたけれど、何も挨拶《あいさつ》してくれない。

こんなに無愛想《ぶあいそう》な家族だったっけ？　と疑問に思った場合は、自分の寝室に戻ってみてください。自分の部屋に行って、そこに自分がまだ寝ていたら、今、あなたは死んでいます。そのときは「あ、これは小林正観がこの前言っていた〝死んだんだ〟っていう状態だな」と思い出してください。

死んでいた場合には、妻に話しかけても子供に話しかけても全然反応がありません。そして妻と子供が土気色《つちけいろ》に横たわっているあなたの姿を見て、「キャー」とか「アーッ」と叫《さけ》んだところから大騒ぎが始まります。

「大変だ！　お父さんが死んじゃった！」

「俺、ここにいるよ」と言っても、もうダメです。あなたはもう違うところに行ってしまったのですから。

自分が死んだと気づいた場合はどうすればいいのか？　もう妻にも子供にも関心を持たず、自分がいかに早く向こうの世界に行くかだけを考えてください。だって、話しかけても反応のない妻や子供に一生懸命かかわっててもしょうがないですからね。妻も子供もキャーキャーキャーキャー騒いでいるかもしれないけれど、自分はどうしようもない。それが死ぬということなんですから。

「浮かばれる」と「浮かばれない」

自分が死んだと自覚をすると、体が床から十センチほど浮かび上がります。

「あれ？　小林正観が言ってた話と一緒だな。本当に俺死んだのかもしれない」

そう思うと、さらに一メートルぐらい浮かび上がります。気球が砂袋《すなぶくろ》を落としていくと、どんどんどんどん上に上がるようなものだと思ってください。執着未練《しゅうじゃくみれん》――生きているときは執着、死んでからは未練と言いますが——という名の砂袋を一袋ずつ捨てていくことによって、自分の体が一メートルずつ上に上がっていくのです。

本当は、体そのものはないのですよ。でも、自分には体があるように見えていて、その体が一メートルずつ浮かび上がっていきます。

「死んだ」という自覚をした瞬間から上に浮かび始めるので、これを専門用語で「浮かばれる」と言います。そして、執着未練の固まりとして地面にペタッとくっついている状態のことを「浮かばれない」と言います。

ここで生きている人に注意しておきます。もし、皆さんのものすごく愛している人が死んでしまったら、めちゃくちゃに泣きわめかないこと。生きている側が泣きわめくと、死んだ側は執着未練の結果として向こうの世界に行けなくなってしまいます。これが「浮かばれない」状態で、死んだ人は向こうの世界とこちらの世界の狭間《はざま》でずーっと苦しむことになる。

死んだ人には早く「向こうへ行っていいです」と言ってあげないと、この人の魂が可哀相です。だから、ものすごく愛し合っている夫婦の場合は泣きわめいちゃダメ。

愛し合っていない夫婦はそのままでよろしい。なんの未練もないし、何も考えなくていいから、あっという間に向こうへ行ってしまいます。

というようなわけで、死後の世界について語り出すといくら時間があっても足りないので、このへんでやめておきます。一言だけ言っておくと、死んだあとの世界の話も結構おもしろい。死ぬこと自体は、それほど大変なことじゃないということがわかってきます。

V　否定的な言葉をやめればどんどん健康になる

自分で自分の体を選んで生まれてきた

今の私たちは魂が肉体の着ぐるみを着ている状態にあります。一人ひとり、生まれたときにいろんな着ぐるみを選んだのです。そう言うと、「もうちょっと違う着ぐるみを選べばよかった」という人もいるかもしれません。だって夏目雅子みたいな着ぐるみを着てくる人もいるわけですからね。

でも、ああいうふうに手足が長くて、色が白くて、目がぱっちりしていて、誰が見てもすごく格好いいという人は、遺伝的に言うと劣性遺伝です。優性遺伝というのは胴体が太くて厚くて黒くて、手足が短くて首がめりこんでいる。生きるのに向いているというのが優性遺伝。胴体が小さくて手足が長くて色が白くて目がぱっちりしてというのは生きるのには向いていない。だから、これは劣性遺伝。

皆さんは、この世に生まれる前に優性遺伝と劣性遺伝のどちらかの着ぐるみを自分の好みで選んでいるのです。優性遺伝のほうは丈夫だけれど、見た目がいまいち。劣性遺伝のほうは見た目はいいけれど、丈夫じゃない。さあ、どっち？　という選択です。


今、日本人の二十代の若者の死因の第一位は交通事故で、第二位がある病気です。なんの病気かと言うと白血病。二十代の若者は、交通事故を除くと一番多くの死因がなんと白血病なのです。

劣性遺伝のほうの、見た目がよいほうの体を選んでこの世に生まれてきた人は、白血病でバタバタと死んでしまうのです。見た目のいい人ほど早く死ぬ。皆さん、長生きでおめでとう。四十、五十まで生き残ったら、ほとんど間違いなく優性のほうを選んできています。

私の講演を聞きにきた人で、四十を過ぎて体重が九十キロの女性がいました。その人は講演のあとの二次会で、「私、白血病で死んだらどうしよう」としきりに心配していました。するとそこにいた四十人ぐらいの人が、「絶対大丈夫！」と声を揃《そろ》えて言いました。

「私どうしようかしら」というのは、自分の姿形を見てから言わなくてはいけません。四十を過ぎて体重が九十キロもあれば、どう転んでも白血病にはなりません。大丈夫です。私が太鼓判《たいこばん》を押します。

見目《みめ》かたちのいい人というのは、生まれる前に「どっち」と神様に言われて、ちょっと短い寿命でもいいから若くしてめちゃくちゃモテたいという選択肢を選んだ人です。そうでない人は、あんまりモテないけど長く生きたいというのを選んだわけ。だから呪《のろ》っちゃいけません、自分の体を。自分が選んで生まれ出てきたのですからね。

肯定的な言葉で捉えるとすべてが喜びに変わる

人間の体が壊れる理由の二〇％は酒、煙草《たばこ》、暴飲暴食が占めています。あとの八〇％は何かというと、何度も出てきた、ストレス。思いどおりにならないこと。

先ほど言いましたね。つらい、悲しい、つまらない、嫌だ、嫌いだ、疲れた。不平不満、愚痴《ぐち》、泣き言、悪口、文句、恨み言葉、憎しみ言葉、呪《のろ》い言葉……ありとあらゆることに否定的な言葉を吐《は》き、否定的な捉《とら》え方をしていると、「そんなに生きているのがつらいんだったら、早く死んじゃいましょうね」と体が自ら反応するのです。

そういう言葉と思いの結果として体が壊れ始めた人を画期的に、根底的に、もとに戻す方法があります。それをここでお教えしておきます。

その方法とは、今日ただ今この場から、ありとあらゆる現象について否定的な言葉を使わないこと。

たとえば今日は暑いというときに、「暑いので嫌になっちゃいますよね」と言うのをやめる。

「これだけ太陽が照ってくれると、稲がよく育つでしょうね」

「海水浴場も今日は大儲《もう》けですよね」

と、まずは肯定的な言葉で表現するようにしてください。否定的な言葉は一切封印《ふういん》して、ありとあらゆる現象について、嬉《うれ》しい、楽しい、幸せ、愛してる、大好き、ありがとう、ツイてる……という言葉を口にするようにするのです。

晴れていると「今日は晴れているから紫外線対策をしなくちゃいけない」と思っていた人がいた。雨が降ると「今日は洗濯物が乾かない」と思っていた人がいた。その同じ人が、この話を聞いて、こういうふうに思うようになったそうです。

晴れた日には「洗濯物が乾く。よかった」。雨の日には「紫外線対策をしないでいい。よかった」って。現象は全く変わっていないのに、捉え方が一〇〇％変わった。そうしたら全部が喜びになった。晴れた日も喜びで、雨の日も喜びになった。

否定的な人というのは、否定的な現象が起きていると思っているけれど、実は否定的な現象なんてどこにも起きていない。ただ否定的に捉えているだけ。だから、悩み苦しみというのは「もともとないんだ」というところに行き着くわけです。自分でつくりだしているだけです。

肯定的な言葉だけを使うようにすれば、悩み苦しみ、苦悩煩悩はすべてなくなってしまいます。皆さんもぜひ体験してみてください。

そして、悩み苦しみのない世界を存分に味わってみてください。

第四章

毎日が楽しくて仕方なくなる方法

宇宙に存在する現象は、存在はしているけれど色がついていていない。これを「空」と言います。それに色をつけて見ているのは、全部自分です。

Ⅰ　すべての現象は「空」である

「空」と「無」は違う

　先ほど「照見五蘊皆空《しょうけんごうんかいくう》（照らし見るに五蘊は皆空なり）」という話をしましたね。この五蘊というのは「色（しき）、受（じゅ）、想（そう）、行（ぎょう）、識（しき）」の五つを言います。「色即是空《しきそくぜくう》、空即是色《くうそくぜしき》」の「色」と、「受想行識《じゅそうぎょうしき》、亦復如是《やくぶにょぜ》」の「受想行識」の四つをあわせたものです。

　この五つは、物が存在し、それをどう受け止めて、どう思い、どう行動し、それがどういうふうに体験・経験として脳に焼きついたかという、五つの感覚レベルを示しています。これを五蘊と言います。

釈迦は「色、受、想、行、識」の五つの感覚レベル、つまり自分たちが捉えて思ったことは「全部皆空なり」と言っています。「空」というのは「ない」のではなくて、存在はするけれど色がついていないもの。それをお釈迦様は「空」と言いました。今の仏教では、「五蘊すべての感覚レベルが初めからなかったものと思いなさい。ないものと思えば何もつらくないでしょう」と教えているのですが、空は無とは違うものです。

なぜかと言うと、般若心経の中では「空」という文字も使われているし、「無」という言葉も使われているからです。「空」と「無」が別の概念だから二つの文字が使われているのです。だから、空と無はイコールではない。空と無が一緒だというふうに解釈している人が結構多いのですが、違う。「無」は「ない」こと。「空」はあるけれど、色がついてないこと。

もう少し具体的に考えてみましょうか。

ここに小林正観という人間がいる。体重は五十六キロ、身長は百七十六センチ。こう言うと「細い、痩《や》せている」と思うかもしれません。でも、宇宙には「痩せている」という現象はないのです。中には、この小林正観を「太っている」と言う人もいるかもしれない。

タコのような格好をした火星人か何かが私を見て、「ああ、小林正観って太っているなあ」と言うかもしれないでしょう。体重百五十キロの人が五十六キロの私を見て「激ヤセしていますね」と言う場合だってあるかもしれない。それは見る人が決めるのであって、宇宙に「痩せている」とか「太っている」という現象はないのです。

もう一つ例を挙げます。

成功哲学というものを二百万とか三百万、高いものになると一千万もの金額をつけて売っているセミナーというものがあります。しかし、宇宙には「成功」という概念がないのだから、売っていることと自体があやしいというのが私の解釈です。売っている成功それ自体が宇宙には存在していない。それを巧《たく》みに言葉を入れ換えて成功哲学と呼び、その方法を何百万で売っているというのは、とてもあやしい。

逆に、宇宙には「失敗」という概念もない。「勝ち」という概念もないし、「負け」という概念もない。宇宙に存在する現象は、存在はしているけれど色がついていない。これを「空」と言います。それに色をつけて見ているのは、全部自分です。

「色」も「受」「想」「行」「識」も（この五つを「五蘊」と呼びます）、その感覚レベルに自分の「評価・評論」を与えた結果、「悩み」や「苦しみ」を生むのです。

Ⅱ　良いも悪いもすべては自分の受け取り方

動物は痛みを感じない

ここまでお話してきたように、苦悩煩悩というのはもともと全部自分の思いが先にあって、その思いが思いどおりにならないところから来ている、というのがお釈迦様の言ったことです。それが東洋哲学的な思想です。

「でも実際につらいこと、悲しいこと、嫌なこと、悔しいことがあるじゃないか。痛いものは痛いじゃないか」という人がいますが、これも違うらしい。実は、痛いものも痛くない。その話をこれからしようと思います。

しばらく前の話です。ある動物学者がＮＨＫのラジオに出ていました。私はその人の話を車のラジオで聞きながら、非常に興味を持ちました。その人は何気なく女性のアナウンサーに向かって、こんなことを言ったのです。

「実はね、動物って痛みを感じないんですよ」

アナウンサーが驚いて聞き返しました。

「え？　動物だって怪我《けが》をしたり、銃で撃《う》たれたり、罠《わな》にかかったりしたら痛みを感じるのではないですか」

するとその人はこう答えました。

「骨が折れたりして、その結果歩きにくくなって片足で歩いていることはありますが、痛みは感じないんです」

さらに質問するアナウンサー。

「え？　どうしてですか」

平然と答える動物学者。

「言語がないからです」

この動物学者は淡々と、アナウンサーの驚きになんの感情も込めず、さらっとそう答えたのでした。

皆さん、よく覚えておいてください。どんなすごいことでも淡々と言う人は本当にすごい人です。反対に、すごいことを「すごいんだ、すごいんだ」と声高に言っている人にロクな人はいません。

「己の長を説くことなかれ、他人の短を言うなかれ」というのは弘《こう》法大師《ぼうだいし》空海の座右《ざゆう》の銘《めい》でした。

さて、その動物学者が言うには「痛みというのは痛いという概念を言葉に置き換えて認識したから痛いというようになったのであって、痛みを感じるのは人間だけ」だそうです。

つまり、子供が転ぶと親がダーッと駆け寄っていって、「ああ、痛いよね。大変だよね。つらいだろうけど、ここで泣いちゃダメよ」と言い聞かせる。すると、子供は「これを痛いと言うんだな。この痛みは泣くぐらいの痛みなんだな。普通だったら、この痛さで泣くべきものなんだな」と学習するわけです。

その動物学者はこうも言っていました。

「言語による学習によって痛みは始まるのです」と。

だから痛みというものを言語に置き換えていなければ、実は永久に痛みを感じないのだそうです。神経はピリピリという信号を送ってきているけれど、それが痛みというものであるとは捉えない。だから「痛くない」のだというわけです。

おもしろいでしょう、この話。

悪態をつかれたときに、「そういう言葉を聞くと、私、元気になるのよね」というふうに自分で決めてしまうと、人間の体は全部そうなります。

そういうことなので、皆さんは、これから子供がバタッと倒れておでこをすりむいても駆け寄ったりしないこと。そっぽを向いて、子供に対して何の関心も示さないこと。「我慢《がまん》するのよ」とか言ってしまうと、「ああ、我慢するべき痛さなんだな。じゃあ、これは我慢しないで泣いてもいいんだな」と学習してしまいますからね。だから何も言わないで、普通に手を差し伸べてホイと立たせて、一緒に歩くというぐらいの淡々とした生き方のほうが、どうもいいみたいです。

痛みというのも学習なのです。親が教えこんだ結果として学習する。人間が痛いと思っているのは、「痛い、痛い」と親が教えこんだから痛い。それだけのこと。

痛みを感じない実験

おもしろい実験をしてみましょう。

どなたかと組んでペアをつくってください。これから、つねられる方とつねる方の役割を決めて、一方が一方の人の腕をつねります。アザになるほど思いきりつねってはダメですよ。普通につねってくださいね。

それで、つねられる方の人はニッコリ笑って「ありがとう、ありがとう」と言いながらつねられてみてください。

それが終わったら、今度はつねられる方の人は「この野郎《やろう》、バカ野郎、この野郎、バカ野郎」と言いながらつねられてみてください。

そこまで終わったら、立場を入れ替えて同じことをやってみてください。

どうですか？　痛さが全然違うということに気がつきましたか。

おもしろいことに、「ありがとう、ありがとう」と言っていると、ほとんど痛みを感じない。そして「この野郎、バカ野郎」と言葉を変えた瞬間に、ピリッと痛みがくる。痛みの感覚が全然違うのです。

これはどうしてかというと、人間の体というのは外的な環境によって定常的な反応を示すわけではない、ということなのです。ただ自分の感情に伴《ともな》って体が反応するというだけ。だから心地よい言葉を聞きながら、あるいは心地よい言葉を自分で言いながらつねって痛みを感じようとしても、痛みを感じにくいのです。

悪口を心地よい言葉に変える実験

今度は、感情に伴って体が反応するという人間の性質を応用してみます。

もし皆さんが家に帰って、夫から「お前バカじゃないの」と年間四百回ぐらい言われているとします。すると皆さんは「バカ」と言われると瞬間的にムカッとして頭にくるでしょう。

それを今日の今この瞬間に「バカと言われると嬉しいのよね。バカと言われるたびに私、元気になってエネルギーが湧《わ》いてくるのよね」と思ってみてください。自分でそう決めてしまうのです。すると、本当に「バカ」と言われるたびにエネルギーが湧いてきます。

では、私が皆さんにこれから五つの悪態《あくたい》をつきます、皆さんは何を言われてもニッコリ笑って「ありがとう」と言ってください。そして、「今これからどんな悪態を聞いても、それは全部自分にとってよいエネルギーになり、楽しいエネルギーになって自分を元気にしてくれるんだ」と思ってください。さあ、今、そのスイッチをカチッと入れてください。

用意、カチッ！

入れました。

入れましたね？

では、五つの悪態をつきますよ。それを全部、「ああ、うれしい。ああ、元気になる。ああ、すばらしい言葉だ」と思うのですよ。

では、行きますよ。


やーい、一重まぶた。

やーい、二重あご。

やーい、三段腹。

やーい、四十肩。

やーい、ゴージャスなウエスト回り。

どうですか？　元気になりましたか？　元気になったでしょう！

今のように悪態をつかれたときに、「そういう言葉を聞くと、私、元気になるのよね」というふうに自分で決めてしまうと、人間の体は全部そうなります。

つまり、痛みが痛みとして独立して存在しているのではなくて、自分の受け取り方で物事がすべて変わってしまうのです。人間の体の高度な機能というのは、これほどすごいものなのです。

痛みを喜びとして肯定して、幸せなものにしてしまうと、痛いはずのものも痛くなくなってしまう。

Ⅲ　人間に与えられた素晴らしいシステム

体の中には原子核融合システムがある

痛みの話に戻ります。今実験をして皆さんもわかったと思いますが、痛みというものも自分が勝手に決めているだけなのです。痛みを喜びとして肯定して、幸せなものにしてしまうと、痛いはずのものも痛くなくなってしまう。さらには、つねってくれる人に感謝をする。心でそう思っていなくても、とりあえず「ありがとう」という言葉にして口に出してしまうと、なぜか痛みを感じない。

バカだのアホだのと言われたときにでも、「ああ、その言葉を言われるたびに、私、元気になるのよね。元気になるって決めたから元気なのよね」というふうに自分でスイッチを切り換えると、何を言われても元気になるのです。人間には、そういう高度な機能がある。

そこで、こんな話をしておこうかと思います。

皆さんは元素《げんそ》記号表というのを中学か高校で見たことがあると思います。

地球上に存在する物質を小さくしていって、これ以上分けることができないという小さな物質になったものを元素と言います。その元素が、私たちが中学高校のころは百三まで発見されていました。今は増えて、百二十ぐらい発見されているはずです。

元素記号表にはそうした元素が軽いものから順に並べられています。一番が水素（H）、二番がヘリウム（He）、三番がリチウム（Li）、四番がベリリウム（Be）、五番がホウ素（B）、六番が炭素（C）、七番が窒素《ちっそ》（N）、八番が酸素（O）、九番がフッ素（F）、十番がネオン（Ne）というふうに続きます。七番の窒素と八番の酸素よりも前の六つの物質は空気よりも軽いので浮くわけですね。

さて、この元素記号表の十九番にカリウム（K）、そして二十番にカルシウム（Ca）があります。

あるとき、一人のある生物学者がおもしろいことを考えました。何百羽という養鶏《ようけい》場の鶏を買い取って、その鶏に三か月間カルシウムを全く与えないという実験をしたのです。その結果として、すべての鶏が殻のついた卵を産まなくなってしまいました。普通の卵というのはカルシウムの殻の内側にぺにょぺにょの皮がついていますね。カルシウムを与えられなかった鶏たちは、そのぺにょぺにょの皮だけで卵を産むようになってしまったのです。

一〇〇%の鶏が殻をつけなくなったという事実を確認した上で、この生物学の学者は次のような実験を試みました。カルシウムは相変わらず全く与えずに、カリウムを与え始めたのです。そうしたらどうなったか。一か月後ぐらいに、全部の鶏がカルシウムの殻に包まれた鶏の卵を産むようになったのです。

この実験をもとに、学者は次のような内容の論文を書きました。

すべての生物の中で原子核融合がなされているらしい。カルウシムを完全に遮断《しゃだん》してカリウムを与えた結果、一か月経って鶏は体の中でカルシウムをつくるようになった。カリウムしか与えていないのにカルシウムをつくるようになったということは、原子核融合が体の中で成されているあかしである。

原子核融合というのは数千万度の温度がない限り起こりえない現象です。つまり、それぐらいの高温でなければ物質が入れ代わることはありえない。鶏は人間より二度ぐらい体温が高いので三十九度ぐらいの体温ではありますが、わずか三十九度で核融合が体の中で成されているというのは常識では考えられません。

しかし、この学者が書いた論文は注目され、ノーベル賞の候補にまでなりました。結局ノーベル賞はとれなかったのですが、ぎりぎりのところまで残る論文だった。

この事実をベースにしてものを考えると、人間には限りない喜びと力が湧《わ》いてきます。生物界の頂点に立つ人間の体内には、ウインドウズ95や98よりもはるかに勝るトップクラスのＯＳであるウインドウズＸＰが組み込まれている、ということがわかったからです。

皆さんが、バカだのアホだのと言われた瞬間に、「それを聞けば聞くほど元気になるのよね、ニッコリ」というふうに決めると全部エネルギーになるというのは、この高性能な機能の働きがあるからなのです。

このような素晴らしい機能を自覚して発揮すれば、「私、排気ガスを頭から浴びるほど元気になるのよね」と本人が決めるだけで元気になることもできる。

一般論として、排気ガスは体に対して害になると考えられています。でも、本人が体の中にある高度な機能、ウインドウズＸＰのような高度なプログラムを使えば、無害になるどころかエネルギーにまでなってしまう。鶏でさえ原子核融合をやっているのですから、生物界の頂点に立つ人間の生身の体の中で原子核融合が成されないわけがない。

だから、何を食べても飲んでも、全部自分の薬にすることができる。

反対に、何を食べても飲んでも全部自分の毒にすることもできるのです。

それは皆さんがこの機能をどのように使うか次第。決めるのは皆さん自身です。

素晴らしいシステムを活用して幸せになる

玄米《げんまい》が体にいいというので、玄米だけを一生懸命食べている人がいます。この玄米食をしている千人あたりの罹病率《りびょう》と、白米だけを食べている千人あたりの罹病率を比べると、どちらが上だと思いますか？　普通に考えれば白米のほうが上だと思うでしょうけれど、実は玄米食の人のほうが罹病率が高いのです。

どうしてでしょう？　体にいいものを食べているはずなのにね。

それはこういう理由です。

「これが着色料、これが添加剤、これが防腐剤、だからこれも体に悪い、これも食べちゃいけない」というふうに体に言い聞かせていると、食べるものがすべて体の中で敵に回ってしまうらしい。「毒なのよね」と言われたものは、言葉どおり全部毒になってしまうわけです。

逆に、「私は防腐剤入りでも添加剤入りでも着色料つきでも、全部栄養になるから平気」と言ってバリバリ食べている人は、全部エネルギーに、栄養にしている可能性がある。人間の体の中には、毒物と一般的に言われているものをエネルギーに変換してしまう可能性が存在するのです。

この素晴らしいシステムを活用すれば、限りない幸せを手に入れることができます。

たとえば会社の上司からバカだのアホだのと言われ、目の前の夫からドジだのマヌケだのと言われたときにはこう言えばいい。

「私、ドジでのろまな亀なんです、ニッコリ」

自分の体の中で、そういうふうに原子核融合システムを働かせてしまえばいいのです。それを皆さんは使わない。なぜ使わないかと言うと、誰にも教えてもらわなかったから。

四十年間こういう世界の勉強をしてきた私は、「人間の体がこういう仕組みでつくられている」という観察結果を皆さんにお話ししました。今、皆さんはそれを知ってしまいました。知ったからと言って無理に使わなくてもいいですけれど、使ったほうが得だと思います。プログラムをカチッと入れ換えたほうが生きることがずーっと楽しくなる。

今日、皆さんはおいしい夕食を食べるでしょう。その夕食はありとあらゆるものが全部、皆さんの若さと美しさと頭のよさに寄与します。それを食べることによって、ものすごくかわいい人になり、素敵な人になり、美しい人になります。男性は若々しくなり、楽しくなって、幸せな人になるように働きます。

わかりましたか？　このように頭のスイッチをカチッと入れ換える。「これが防腐剤で、これが着色料で……」と言うのは、なし。そうすれば毎日が楽しくて幸せで仕方がなくなると思います。

第五章

神様を使いこなして生きる

あなたにとって一番大事なものは常に一緒です。目の前のこと、人、物が一番大事だということになる。

Ⅰ　今日の今ここの瞬間を淡々と生きる

目の前にあることが一番大事

三、四年前でしたか、「ソウルメイト」とか「ツインソウル」とかという本が出たときに、「正観さんと私はソウルメイトだと思うんですけれども」という人が年間に何百人もあらわれました。しかし私は、ソウルメイトとかツインソウルという考え方を一〇〇%とらないので、そういう話を持ち込まれても「はい」とは言わない。

人間というのは「この人が特別」と思った瞬間に違う対応を始めますね。この人は特別、この人は特別じゃないと分けて考え始める。

では、超能力者というのは世の中にいるのでしょうか？

答えは「超能力者はいる」。それが正しい。

しかし、「超能力者はいない」。これも正しい。

あーれまあ。頭の中がぐちゃぐちゃになってしまった。

いいですか。すべての人は超能力者である。ゆえに、超能力者はいる。しかし、すべての人が超能力者なので、超能力者はいない。

これはどちらも正しい答えです。


では、もう一つ質問。

皆さんにとって大事にすべき人がいますか？

「大事な人がいます」、マル。これは宇宙的に正しい。

「大事な人はいない」、マル。これも宇宙的に正しい。

どうしてか？　目の前にあらわれた人すべてが、今一〇〇%全身全霊を傾けて大事にすべき人なのだから、大事じゃない人は一人もいない。ゆえに、大事な人はいない。

わかりましたか？

一番はあるが二番、三番はない

そういうことがわかってくると、今、目の前に存在すること、人、物を大事にしていくだけ、ということがわかってきます。大事な人が優先的に存在するわけではない。目の前に妻と子供がいるのであれば、妻と子供も例外ではなく大事にする対象である。

しかし、今、妻と子供が目の前にいなくて、目の前に百五十人の人がいるとすれば、その百五十人の人を一番大事にする。

今「一番」と言いましたが、二番はないのです。だって目の前にいる人が一番大事なので、目の前にいない人は二番も三番もないでしょう。

一番大事な人とゼロの人としかいない。二番目、三番目が存在するわけではない。

その人の人生にとっては、今、目の前に存在する、こと、人、物が一番大事なのです。状況が刻々と変化していく際に、その目の前に存在することが一番大事なのだから、あなたにとって一番大事なものは常に一緒です。目の前のこと、人、物が一番大事だということになる。

「念」という字がありますね。この文字を分解すると「今の心」と書きます。今の心とは何か？　今、目の前のこと、人、物を大事にすることです。今、目の前の人を大事にし、今、目の前のことを大事にする——これを「念を入れる」と言います。

念ずれば未来が自分の思うように叶うと教えるセミナーがありますが、念ずる結果として未来が自分の思いどおりになるという概念は宇宙的には一％も存在しない。

なぜそういうふうに断言できるか。「念」という文字は「今の心」としか書いていないからです。「未来的に」なんていうことはどこにもない。今、目の前のことを、目の前の人を大事にすることが、「念」を入れて生きるということなのです。

「あした」という日は「ない」

皆さんにちょっと質問します。今日寝て起きたらいつでしょう？

今日寝て起きたら「あした」と思った人がいるかもしれませんが、今日寝て起きたら「今日」です。「あした」という日は永久に来ない。

今日の今この瞬間が私たちの目の前に存在するだけで、「あした」という日は永久に来ません。ものすごく簡単なことです。

「明日があるさ」という歌の歌詞。

「明日があるさ明日がある　若い僕には夢がある　いつかきっといつかきっと　わかってくれるだろう」

こういう歌詞ですけれど、「明日がある」と思っていると、「今日何もしない」ことになる。

「あした」という日はないのです。「今日」という日しかない。

今日の今この瞬間に目の前のこと、人、物を大事にしない人は、「あした来る人を大事にすればいいや」

と思っている間に、目の前の人がいなくなってしまうのです。

「ああ、あの人を大事にしてあげればよかった」

と、その去っていった人を一生懸命おもんぱかっているうちに、目の前にいた人が

「じゃあね」

と言って、また去っていくわけです。

そういうふうに、ずっと思い出、過去を追いかけている。

要するに、「明日があるさ明日がある」と歌っているのは、実は「ない」ものを歌っているのです。実は私たちの目の前には「あした」という日は永久に来ません。私たちの目の前に存在するのは「今日」。今日の今この瞬間だけ。

私たちはものすごく大きな広がりの時間・空間の中で生きているように勘違いしていますけれど、私たちが生きているのは、この瞬

間瞬間、この刹那《せつな》刹那だけ。

だから、大事にできる人は目の前に存在する人だけ。あしたの人も、きのうの人も大事にすることはできないのだから考える必要がない。

「きのう大事にしなかったあの人を大事にしてあげればよかったのに」と悔いがたくさん残っている人は、川がうまく流れないようなものです。クイ（杭）が多いとごみばっかり引っかかって川が流れていかない。わかりますか？

美空ひばりの生き方

美空ひばりという人がいました。四歳のときからえらく歌がうまくて、お母さんが小屋がけをしました。そこに日曜日ごとに中年のおじさんたちが入って、この四歳の娘の歌を聞く。もちろん有料でチケットを買って入ってくるわけですけれど、それが毎週毎週続いて、だんだん来る人が増えていって、土曜日もやらなくてはいけなくなった。それでも来る人が増えてきたので、しようがない。当時はラジカセがなかったから、美空ひばり楽団という二十人ぐらい楽団を自分たちでお金を出して抱えて、毎日楽団に演奏させて、美空ひばりが歌うようになった。

そうしたら、お母さんだけではとても手が足りなくなった。チラシをつくったり、切符をつくったり、もぎりをやったりするのにお父さんの力も必要になってきて、ついにお父さんも会社をやめて、夫婦二人で美空ひばりの小屋を運営することになりました。

そうこうしているうちに、美空ひばりは女王と言われるようになったのです。

音楽関係の友人が教えてくれました。今はＣＤだからちょっと違うと思いますが、昔は、録音するのに九センチぐらいの厚いテープを使って、ここに二十四のチャンネルが入ったそうです。そして一つの楽器に一つのマイクを使って録音するわけです。

それで、新人歌手の場合は十二回ぐらい歌を入れる。つまり、歌入れに十二チャンネルを使う。そして、その中から一小節ずつ、音が外れていない部分を「一番と四番と、次は八番と三番と……」という具合に組み合わせていって完璧な歌をつくるわけです。これをトラックダウンといって、こうしてつくったものをマザーテープにして、それをレコードにして売っていた。

歌に十二チャンネル使うということは、楽器の録音には残りの十二チャンネルを使うことになります。つまり十二の楽器を使うわけです。これがベテラン歌手になると四回ぐらいで歌が入るので、二十四チャンネルのうちの二十チャンネルぐらいは楽器を使えるそうです。だから、たくさんの楽器を使える歌手というのは歌がうまいということになります。

二十ぐらいの楽器が聞こえてくる場合は、この人は四回しか歌い直さなかったということがわかるわけです。十二の楽器しか使っていないということは、十二のチャンネルに歌を入れたということ。だから、新人歌手ほど歌のチャンネル数が多くて楽器数が少ない、というのが常識になっていたそうです。

そういう業界の中で、同録一発という歌手が一人だけいました。スタジオに二十人のオーケストラを連れてきて、そこで全員一発で録音をして、それでオーケーになる歌手がただ一人だけいた。それが美空ひばりだったのです。

演奏に実際に参加した私の友人もいますが、美空ひばりのときは緊張感が違うんだと言っていました。同録一発だから自分が間違えると全員がやり直しになる。楽器を別々のチャンネルにとって歌と組み合わせるわけではないのです。歌も楽器も一発勝負。

「ひばりさんは女王だと言われていたけれども、本当に女王でした」とその友人はしみじみと言っていました。

その話はともかくとして、美空ひばりさんはずっと歌を歌ってきました。自分のわがままで何をしたい、かにをしたいとはほとんど言わなかった。こうせざるを得ない状況でやるはめになったことを、そのまま淡々と、ああだこうだ言わないでやってきただけ。

その結果として病気になって、さあ、あと少しで死ぬかもしれないという状況になったときです。秋元康という人が「川の流れのように」という歌詞を書いて他の歌手の歌で出す予定だった。美空ひばりはその歌詞を見て、「この歌を私にちょうだい」と言った。万感の思いを込めて「この歌を歌いたい」と思ったのです。

そのときは、もう命が風前の灯火だった。死ぬ半年ほど前から、美空ひばりは舞台に自分の足で立つことができなかった。だから緞《どん》帳《ちょう》が下がっている状態のところに車いすで連れていってもらって、そこで何人もの人の手を借りて立たせてもらった。立たせてもらったら車いすは下がって、立った状態で緞帳が上がった。すると、歩けないはずだった美空ひばりが二時間ものステージで歩き回って歌ったのです。

心臓を調べた医者が驚いた。二千ccしか肺の中に空気が入らないのに三千六百ccぐらいの肺活量で歌っている。これは理解ができないと言った。息が続く。「ああー」と音を伸ばすためには三千六百ccの肺活量が必要なのに、この人の肺には二千ccしか空気が入らない。どうして三千六百 ccの空気が出てくるのかわからないと言った。

「奇跡としか考えられない」

と、その医者は言いました。

この死を間近にして美空ひばりが最後に歌った歌が「川の流れのように」です。自分の意思で、自分のわがままで生きてきたのではない。いつの間にか知らないうちに女王に祭り上げられて、すごい人ということになったけれども、彼女は自分のやりたいことを押しとおすために人をかきわけ押しのけて女王にのし上がったのではない。やらされることを「はいはい」と言ってやってきたら女王と言われるようになって、歌謡界の最高峰に立っていた。

それを思い出したときに、美空ひばりは本当に万感の思いを込めて「川の流れのように」を歌ったのだと思います。

やるはめになったことを淡々とやる

皆さんが自分の人生の中で考えるべきことはなんなのか。いろいろなことを考える必要はありません。ただ今目の前にあること、人、物を大事にするはめになったら、それを大事にして淡々とやっていくことです。未来に自分がどこへ連れていかれるのだろう、自分はどうなるのだろうなどとは考えなくていい。やるはめになったことをただ淡々とやる。

そして、大事なこと、人、物というのは、きのう存在したわけではなく、あした存在するわけでもなく、今目の前に存在する。そのことが自分の人生の中で最も大事なことなのです。だから、「大事な人」はいない。すべての人が大事だとわかってくるわけです。

未来的なことを「何をどうする」と考えて一生懸命やりなさい、というのは西洋文明の考え方です。それがいけないとは言わないけれど、それだけを信じてやってきている人は、「自分の思いどおりにならないときには、人の五倍、十倍働かなければいけない。必死にならなければいけない」というふうに教えられてきたので、必死になる。しかし必死になると必ず死んでしまいます。必死って「必ず死ぬ」と書くのですからね。

だから上司から「なんで必死にやらないんだ」と言われたら、「だって、必死になったら死んじゃうんですよ」

と答えることにしましょう。

必死になんてならなくていい。

人生のテーマは、必死になることにあるのではない。いかに喜ばれてそこに生きているかということにあるのですから。

Ⅱ　神様を使いこなすにはコツがある

人間には「喜ばれるとうれしい」という本能がある

動物には二つの本能が組み込まれています。

一つは自己保存の本能。

二つめは種の保存の本能。

この二つだけです。人間以外の動物は、自己保存と種の保存だけがある。

シマウマが群れているのはなぜか？　互いにいろいろなことをやり合って社会性を持って支え合っているのではありません。群れていることによって安全性が高まるという自分の利益のために集合しているだけです。要するに、一頭一頭はすべて自分の自己保存と種の保存を図るためだけに動いている。

実は、動物と神の間に人間という存在が存在しているのです。人間というのは動物でいうと、たとえばタヌキ、キツネ、ネコ、コアラ、ラッコ……こういうふうに片仮名で書いたときに〝ヒト〟と書きます。

二十年ぐらい前になるかと思いますが、文部省が動物・植物の名前は全部片仮名で書くことという通達を出しました。それで、人というのも学問的に呼ぶ場合は、片仮名で「ヒト」と書かなくてはいけません。

百日紅という木があります。読めますか。そう、サルスベリ。サルスベリは大体三か月ぐらいずっと赤い花を咲かせているから百日紅と書きます。それで、その幹がツルツルなのでサルスベリと読むわけです。こういうのを今は「百日紅」と漢字で書かないで、片仮名で「サルスベリ」と書かなくてはいけない。

残念ながらちょっと味気のない時代にはなっているのですが、とりあえず人も動物学的に書くときは「ヒト」と二文字の片仮名で書きます。

そして、人は一人で生きていると「ヒト」、人の間で生きている人だけ「人間」になります。

この「人間」は動物にある一と二の本能プラス、神様から三つ目の本能をいただいています。ありとあらゆる生物の中でこの三つの本能を持っている唯一の存在です。

この三つ目の本能とは「喜ばれるとうれしい」という本能です。

人間はこれを神様からもらっている。

そして、皆さんはこの一言を聞いてしまった結果として、今日の今この瞬間からどんなに抵抗をしても抵抗ができない。なぜならば、全員の心の中に「喜ばれるとうれしい」という本能が入り込んでいるからです。入っていない人は一人もいない。どんな人も喜ばれるとうれしい。

暴走族のお兄ちゃんたちは、ワンワンワンワンワンワンとものすごい音を立てますけれど、あれは仲間のみんなが「すげえ、いい音だ」と喜んでくれるからうれしくてやっている。いくらワンワンワンワンワン音を立てても暴走族仲間がシーンとしているとつまらない。喜んでくれないと、ものすごくつまらなくなってしまうわけです。

喜ばれるということの意味は、いろいろなジャンルで人によって変わってくるものですけれど、とりあえず「喜ばれるとうれしい」

という本能は誰の中にも組み込まれている。それが一般社会に適合するかどうかは別として、とりあえず「喜ばれるとうれしい」という本能が入っているのです。

これを知ってしまった皆さんは「喜ばれるとうれしいのよね」というスイッチがもうカチッと入ってしまいました。今日の今この瞬間から動き出してしまいました。

動物には二つの本能しかなくて、人間にはもう一つの本能が与えられていると言いました。では、それを与えている神というのはどういう存在なのかというと、神は自己保存の本能もないし、種の保存の本能もないという存在です。神は種の保存を考えていないし、自己保存も考えていません。ただ「喜ばれるとうれしい」というエネルギー――神の場合は本能とは言わず、エネルギーと言います

――だけを持っている。「喜ばれるとうれしい」というエネルギーのかたまりが神なのです。

神はそのエネルギーを生物界の頂点に存在する人間に付け加えたのです。その結果として、人間は生物界のすべてのものが持っている二つの本能プラス神のエネルギーを三つ目の本能としていただくようになった。その結果として、とても複合的な生物としてこの世に出ることになりました。

だから、人間には生まれたときから「自己保存」と「種の保存」と「喜ばれるとうれしい」という本能が三三%ぐらいずつ入っているのです。それが大体五十代になると二十五対二十五対五十ぐらいになっていく。一番目と二番目の本能は、十年で一〇%ずつぐらい減っていくのですが、三番目の本能だけは大きくなっていくようにつくられています。

というわけですから、八十歳、九十歳になると「喜ばれるとうれしい」という本能だけが残っている状態になります。中には七十代になっても種の保存にしか興味のない人もいますが、それは極めて稀《まれ》な人。例外です。

すべての出来事を肯定的に捉える人に神様は微笑む

こういう話をしていると、唯物論で元学生運動の人間が神のことを書くのは「ちょっと不思議」と思う方がおられるかもしれません。私は三十五年前から現在までガチガチの唯物論者ですし、宗教者でもありません。宗教も教派教団も一切信じていませんし、どこかから教えを受けたということはありません。

ただ実際に神は宇宙に存在する。それは否定できない事実です。

そして、この神の使いこなし方を覚えておくと、大変に便利だということを私は知っています。

神の使いこなし方について述べているのは、世界中でただ私一人だけのような気がします。「神に対してひれ伏せ」と教えている宗教団体は山ほどありますが、「神を使いこなせ」と言っている人間はたった一人、小林正観だけ。

こう言うと不遜《ふそん》に聞こえるかもしれませんが、こういう私に対して「そんな無礼な言い方は絶対に許さん」とは神様は思っていないようです。もし神様がそう思ったとすると、四十年間病気を全然せず、交通事故にも一度も遭わず、年間に五万人ぐらいのありとあらゆる人とお話をしているのに人間関係のトラブルもない……というようなことの説明がつきません。

行く先々で大雨が降っている観光地に私が降り立つと、そこだけ晴れる。周りは全部大雨の雲なのに、私たちが降り立った湖の上だけが二キロ四方晴れている。私たちの頭の上だけが晴れている。そういうことがしばしばです。今年もカナダに行って、コロンビア大氷原とルイズ湖という場所を見てきたのですが、バスで移動している間は豪雨であったのに、目的地に着くと小降りになって、湖畔まで行くと青空でした。

こういうことがしょっちゅうなので、「正観さんと旅行に行くとすごいよね」という話になっています。実は私、ものすごく神様からよくされています。すごく気に入られているみたいです。

どうしてこういうことが起きるのでしょう?

宇宙には「ありがとう、ありがとう」と言っているだけで、それがエネルギーになるという法則もあります。「ついている、ついている」という言葉もエネルギーになります。

うれしい、楽しい、幸せ、愛している、大好き、ありがとう、ついている……というふうに、自分の口から出てくる言葉が喜びと感謝の言葉に満ちていると、それ自体が自分の体にとってエネルギーになると同時に、その言葉を聞いた周りの人、そして目に見えない方々をも元気づけ勇気づけることになるのです。

そういうふうにすべての出来事を全部肯定的に捉えていると、神様から微笑まれるという事実があります。

この宇宙の法理法則を使いこなしている人の中に、マルカンという会社のSさんがいます。実質納税額ナンバーワンをずっと続けているあのSさんです。この方は私の本をとても好いてくれて、一冊本が出ると、一人で八百冊、九百冊と買い込んでくれます。個人のお客さんとしては一番多く本を買って下さる方なのですが、Sさんは「ついてる、ついてる」ということだけを言い続けて日本一の大金持ちになりました。そうやって神様を上手に使いこなしているのです。

皆さんも同じようにやってみるといいと思います。必ずそうなりますから。宇宙の法則は実に簡単な仕組みになっているのです。

神様にお願いをしてはいけない

神様の使いこなし方のポイントは、つらい、悲しい、つまらない、嫌だ、嫌いだ、疲れた、不平不満、愚痴《ぐち》、泣き言、悪口、文句、恨《うら》み言葉、憎しみの言葉、呪《のろ》い言葉を金輪際《こんりんざい》一切口にしないことです。

そして、この「金輪際一切口にしない」という中には「夢や希望を叶《かな》えてください、神様、仏様」と神社仏閣にお願いに行くことも含まれます。神仏へのお願いというのは、目の前の現象について

「これが気に入らない、あれが気に入らない」ということがあるから「神様、仏様、どうかこの夢を叶えてください。あの望みを叶えてください」とお願いをしているわけでしょう。しかし、それは神仏に対して宣戦《せんせん》布告しているのと同じ。お願いに行った瞬間に「今、自分が置かれている状況が気に入らないんだ」という宣戦布告をしているわけです。

私は「今日の今の瞬間に目の前にあることが一番大事だ」と皆さんに言いましたね。では、誰が目の前の現象を与えてくれているのでしょうか。神様が与えてくれているのです。神仏にお願いするというのは、それが気に食わないと言っているに等しい。だから宣戦布告しているようなものなのです。

神社仏閣論、神社仏閣学というのを誰も教えてくれませんが、本当は中学・高校ぐらいで誰かが教えてあげるといいのです。神社仏閣はお願いを言いに行くところではありません。「叶えて、叶えて」と言いに行った瞬間に、神様から無視されます。それを言いに行った瞬間に、今自分の置かれている状況が気に入らないと言ったのと同じだという事実に早く気がつく必要があります。

では、神社仏閣は何をするところなのでしょうか？

神社仏閣は「お礼を言いに行くところ」なのです。望みや夢や希望を叶えてくださいと言いに行くところではなくて、お礼に行く。今、普通の状態で自分の足で歩けて、自分の口で食べられて、自分の目で見ることができて……本当にいろいろなものをたくさんいただいているのです。それに対して「ありがとう」とお礼を言いに行くところが神社仏閣なのです。このことはよーく覚えていてください。

喜んで生きている人を神様は助けてくれる

神様を上手に使いこなすには、否定的な言葉を口にしないこと、そして、なんでも肯定的に捉えてそれを言葉にすること――これが大切です。

神様は喜ばれるとうれしい。だから、夕焼けを見たら「すごーい！　きれいな夕焼け」と喜ぶと、もっときれいな夕焼けを見せちゃおうかなぁと思うみたいです。おもしろいでしょう。

先ほどペアになって互いをつねる実験をしましたね。人間社会では「つねられると痛い」というのが約束事みたいになっていますけれど、「ありがとう」と口に出して自分でスイッチを入れた瞬間に痛くなくなったでしょう。神様は喜ばれるとうれしいので、痛みを感じさせないのです。そういうふうに人間をつくった。

その仕組みを上手に使っていくというのが、神様を使いこなすということです。

きょうは朝から晴れている。うれしい。

白い雲がもし赤かったら大変よね。雨が真っ赤になっちゃうものね。

青い空が白かったら大変だね。みんな持って行ってペンキがわりに使ってしまう。

雨が降ると嫌だという人がいるけれど、雨が降らないと植物が育たない。植物は、人間や生物が吐き出した二酸化炭素を吸って酸素を吐き出している。その酸素を私たち動物が吸い込んで、とってもおいしくない二酸化炭素を吐き出している。植物はそのおいしくない二酸化炭素を吸い込んで、とってもおいしい酸素を吐き出してくれている。

だから、植物は動物にとって相反する補完関係にある。敵対するという意味ではなくて、相反する世界の住人であって、お互いに補い合う存在。その植物という名前の存在が元気に育ってくれるためには雨が絶対的に必要。だから、「雨がありがたい」と言って手を合わせて「アーメン」と感謝する。


そういうふうに、すべてを喜んでいる人には、その人をさらに喜ばせる現象が次から次へと起きてきます。それを一言で「神様を使いこなす」と言うのです。

わかりましたか？

神様を上手に使いこなすには、否定的な言葉を口にしないこと、そして、なんでも肯定的に捉えてそれを言葉にすること——これが大切です。

Ⅲ　お金の途絶えない財布のつくり方

お金を呼び込む方法

神様を上手に使いこなすといろいろなことができます。お金を増やすことだってできるのです。

神様を使いこなすとお金に困らないというのはSさんの例でも実証されていますが、ここでは神様を使いこなしてお金で悩まないようにするための財布の使い方ということをお教えしましょうか。

これも簡単なことです。

新しい財布を買って、初めて家に持って帰ったとき、最初に入れる金額を必ず二十万から三十万にしてください。一万とか二万ではなくて二十万から三十万。財布は初めて入れた金額が認識する金額になります。だから、二、三十万入れておくと、常に二、三十万を自分で呼ぼうとします。

私はこの三年間ぐらい、財布の残金を確かめたことがありません。でも、八千円とか九千円とか払おうとすると、必ずその金額は入っています。もちろん二、三万の買い物をすることもありますけれど、必ずその金額は入っていました。今までに足りなかったことは一度もない。どうもお金を呼んでくれているみたいです。三年ぐらい全く金額を見たことがないので、いくら入っているか知りませんが、とにかくいつも足りている。実におもしろい。

私は一万円札というのを持っています。お札の肖像画に描かれているのは私、小林正観。手には豆腐を持っています。だから一万円。

丁の字がちゃんと豆腐一丁の「丁」の字になっている。

このお札の裏には小林正観の言葉が三つ書いてあります。

「念を入れて生きる。念の文字を分解すると今の心。今、目の前にいる人を大事にし、今、目の前にあることを大事にすること」

「運命。人生は人との出会いの積み重ね。運命は人が運んでくる私の命」

「喜んでいるあなた、喜んでいる私、喜んでいる私を喜んでいるあなた、喜ぶだけで徳を積む随喜功徳《ずいきくどく》」

という三つです。

この一丁円札を手に入れるのに三百円かかります。つまり三百円で売っているのですが、この三百円で買える一丁円札を財布に入れた途端、お金に全然困らなくなったという報告が数百例届いています。噂《うわさ》が噂を呼んで、発売以来わずか五か月で二万枚近い数が出ました。ものすごい売れ行きです。

さらにこの話を聞いたあるお店の経営者が、レジに何気なく一枚入れておいたそうです。その結果として、その日の売り上げが前日までの売り上げの倍になった。その日だけではなくて、その後ずっと倍だそうです。

何が起きているの？

よくわっかんない。

いいですか。この現象を神様を使いこなす方程式に当てはめてみます。まず、お金が増えなければ嫌だと思った人は増えません。なぜかと言えば、楽しんでいないからですね。

「これを入れるとおもしろいことになるらしい。増えるわけはないから増えなくてもいいけれど、増えるかもしれないからおもしろいよね」と言った人は、なぜかお金が潤沢《じゅんたく》になります。

そのレジに入れた人も、増えなきゃ嫌だという状態ではなく、それまでの売り上げでも十分に店が成り立つだけの立派な黒字経営をしてきていたのです。でも、このお札をおもしろがって入れたら倍になったという話でした。

「そうでなければダメ」と思った瞬間に、宇宙とはつながらなくなる。

「売り上げが上がらなければ嫌だ」と思った瞬間に、「喜ばれるとうれしい」という神様の回線とつながらなくなってしまうのです。ここが大切なところ。その理由はもうおわかりでしょう。

ただし、この一丁円の使い方については注意事項があります。一丁円札が入っているビニール袋から絶対に出さないこと。ビニール袋から出してしまって持っていると、間違えて一万円札と一緒に払う人がいます。大概《たいがい》の場合、「これはおもちゃでしょう」と言われて返されますが、稀にそのまま「はい」と受け取ってしまうお店がある。そのお店は、その日の売り上げの何十万かを全部計算しているときに、間違いの一万円があったというと偽札《にせさつ》だということで警察に届けます。すると、その偽札をつくっている犯人の顔がはっきり札に描いてあるので、すごく困ります。逃げ隠れができない。だから、ビニールから出さないでください。わかりました？　本当に出しちゃだめですよ。

聖なる数字三五八の不思議

もう一つお金にまつわる話です。

聖書の中に六六六は悪魔の数字、三五八は聖なる数字という記述があるのだそうです。そして、この話を聞いたある五十代の人が新しい口座を翌日つくって、暗証番号を「〇三五八」にしたところ、二十個ぐらいある口座の中で、その口座だけが一度も金額が減らないで増えていくだけだったという報告を半年後ぐらいにしました。それを聞いたその場にいた二十人ぐらいの人たちは全員、翌日口座番号を「〇三五八」に変えました。

また車のナンバーを三五八にすると、突然に燃費が三〇％ぐらい上がって、私の車は三〇％燃費がアップしました。車の設計燃費がリッター一三キロなのですが、現在、九・九キロで走っています。それもハイオク仕様でリッター一三キロのはずなのに、レギュラーを使って九・九キロです。

私の周りの人は何十台もナンバーを三五八に変えていますが、どおもしろがった人の勝ち。神様はおもしろがった人に味方するのです。

の車も燃費がよくなって、さらにはエンジン音が静かになって、ものすごく快適によく走るという報告ばかりが来ています。三五八にしたことで悪くなったという例は一件もありません。

徳川将軍で初代と末代の人の名前は知っているでしょうけれども、「何代何々」というのですぐに言うことのできる人は誰でしょう？　三代家光、五代綱吉、八代吉宗だけじゃないですか。これも三五八です。

玄奘三蔵《げんじょうさんぞう》が西遊記で天竺《てんじく》に――北インドのことを当時は天竺と呼びましたが――お経を取りにいきました。そのときに従者として従った三人の妖怪は、三・沙悟浄《さごじょう》、五・悟空《ごくう》、八・八戒《はっかい》です。

お釈迦様が悟ったときが三十五歳のときの十二月八日の朝。お釈迦様は四月八日生まれなので、十二月八日というのは三十五歳と八カ月。

というふうに、確かにいろいろなところで三五八になっています。三五八はパワーを持っている数字なのです。

ちなみに、小林正観の小の字は三画、林が八画、正の字が五画です。だから、この人には神様からのメッセージが来やすいみたい。姓名に三五八を持っている人は喜んでください。

こういう不思議なことがもう十年もずっと積み重なってきて、三五八はものすごくおもしろいという事実がわかってきました。それで千円札の通し番号で三五八が入っているお札が出てくると、使わないでとっておくようにしてきました。それを持っていると、また仲間を呼んでくれます。おもしろがっていると、向こうがおもしろがらせてくれるということなのです。

三五八の数字が含まれるお札ならこの順番で並んでいなくてもい

い。五八三でもいい。どこに入っていてもいいから、十けたの中に三五八が入っているとおもしろいことが起こります。

しかし副作用が一つ。どういう副作用か。

三五八が入った一万円札も使わないでためるようにしていたら、使うお金がなくなってしまったのです。

でも、そういうのを気にしないでまた喜んで遊んでいると、いつの間にかまたお金が潤沢に入っているという不思議さもあるわけですけれど、これは本当におもしろい現象です。

三五八は聖なる数字なので、いろいろなものを呼んでくれて、宇宙につながるみたいだということをぜひ覚えておいてください。きっとおもしろいことが起こります。

おもしろがった人の勝ち。神様はおもしろがった人に味方するのです。

第六章

「掃除・笑い・感謝」で幸せになる

お金と仕事の問題は、「掃除」をしていればなくなってしまう。体と健康の問題は、「笑って」いればいい。人間関係については、感謝、「ありがとう」を言っていればいい。

Ⅰ　すべての悩みは「そ・わ・か」で解決

「そ・わ・か」の力

悩み苦しみというのをよく見てみると、大きく三つのジャンルに分かれます。その一番大きなものはお金と仕事の問題。二番目が体と健康のこと。三番目が人間関係。この三つが大きな悩み事のジャンルです。

そして、この三つの問題は「そ・わ・か」で解決できます。お金と仕事の問題は「そ」で終わり、体と健康の問題は「わ」で終わり、人間関係の問題は「か」で終わりです。

般若心経やいろいろなお経を見ると、一番最後が「薩婆訶（そわか)」という言葉で締めくくられているものがたくさんあります。

でも、私の言う「そ・わ・か」はお経とは関係ありません。この「そ・わ・か」は「掃除・笑い・感謝」のことです。この三つを覚えておくと、悩み苦しみ、苦悩煩悩は一切なくなります。

お金と仕事の問題は、「掃除」をしていればなくなってしまう。

体と健康の問題は、「笑って」いればいい。

人間関係については、感謝、「ありがとう」を言っていればいい。

そういうことです。

もちろんこれらの問題は全部複合的に絡《から》み合っているので、お金と仕事に関して「ありがとう」を言ってはいけないということはないし、体と健康に感謝してはいけないということもない。目の前に起こる現象について、この三つを同時進行でやっていれば悩み苦しみはすべてなくなります。

Ⅱ「掃除」でお金と仕事の問題を片づける

トイレ掃除の効能

四十年にわたって社会現象を観察してきた結果として、私はこういう結論を得ました。第一章でも簡単にふれましたが、改めてお教えしておきます。

お金と仕事について悩みたくなければ、とりあえず水回りを中心として掃除をする。特に自分が使って汚れたトイレは必ずきれいにして出てくる。

どうして？　何も考えなくていい。考えず、説明を求めず、ただそうしてみることです。

水回りを中心として、トイレ、流し、洗面所をいつもきれいにしておく。自分の使ったトイレ、流し、洗面所だけでいいから、とりあえず自分が出てくるときは必ずきれいにする。他の人の分までやらなくてもいいから、最低限、自分が使ったトイレはきれいにして出てくるようにすると、お金と仕事に困らなくなるみたいです。

大変おもしろいことに、トイレ掃除をやっていると、うつ病も治るという事実がたくさん報告されています。うつ病の人は自分で自分が嫌いだという人が結構多いのですが、トイレ掃除をしている自分というものがどうも好きになるようです。そして、自分で自分が好きになると、うつ病はあっという間に治ってしまう。

トイレ掃除をするとうつ病が治るというのは簡単な方程式です。自分が自分を好きになるという意味でもトイレ掃除をやることをお勧《すす》めします。

一流スポーツ選手の部屋の共通項

私は旅行作家という仕事柄、宿の経営者や支配人としゃべる機会が結構あります。その人たちとトイレ掃除の話をしていたときに、こんなおもしろい話を聞きました。

一流のスポーツ選手たちが朝部屋を出ていくと、部屋の中が使ったのかどうかわからないくらいきれいに片づいていることが多い、というのです。一流選手ほど部屋がきれいにきちんと片づいている。その部屋のきれいさが実力どおりなのだそうです。

たまに何かの事情で一流選手の部屋がいつもと違う荒れ方をしていることがある。要するに全然整理整頓されていなくて、「えーっ、これがあの選手の部屋なの？」とびっくりするときがあるそうです。するとそういう日のその選手の成績は惨憺《さんたん》たるものらしいです。きのうの成績が悪かったのでがっくりきて、今朝出ていったときに整理整頓しなかったというのではない。今朝出ていったとき部屋が片づけられていないと、その日の成績が必ず悪いのだそうです。これはおもしろい因果関係です。

私の本を読んでくださる方の一人に柔道のＹさんがいます。この人もいつも宿を出ていくときに部屋をきちんと片づけていくそうです。それがＹさんの成績に反映していたことは言うまでもありません。

さっき成功哲学というのは宇宙にはないんだという話をしましたけれど、Ｙさんは、何か勝負の世界に身を置いているのがつらくなったというようなことを思い始めたらしい。

あるとき大きな大会に臨む前に、どんな成績であっても、もう一切、役職の依頼は受けないと決めて臨んだ。それで帰ってきて、「もう決めていたことなので」と言ってすべての依頼を断ったそうです。でも、心の内の話としては「勝った負けたという世界に身を置いているのがつらくなった」ということでした。

そういうようなことで、一流選手というのは、なぜかとてもとてもきれいに部屋の整理整頓をして出ていくらしいということをお伝えしておきます。

Ⅲ 「笑い」によって免疫力を高める

笑えば笑うほど神様が味方してくれる

「そ・わ・か」の「わ」は「笑い」です。小林正観がつまらないダジャレを言う。言ったときに「つまーんない」と言っている人は、神の加護がありません。つまらなくてもいいから、おもしろいと言っている人は、それだけで神の加護があります。

私も喜ばれるとうれしいのです。小林正観と神様は似たところがありますね。褒《ほ》められるとうれしい。お調子者です。乗せられるとうれしい。つまらないダジャレでも笑われるとすごくやる気になる。

でも、「つまーんない」と言われたり白い目で見られるとシュンとして、もういいや、早く帰ろう、と思ってしまう。神様も同じです。だから、ダジャレのレベルが上か下かという問題ではなくて、とりあえず笑ったほうが神様を味方につけることができる。笑って、おもしろがって、うれしがっていると、神様はうれしいのです。

内容がおもしろくて笑うというのもまあいいですけれど、それは初級。内容がおもしろくなくても笑う。これが中級。内容が理解できなくてもとりあえず笑う。これが上級。

とりあえずハハハと笑っておいて、笑い終わってから一緒に笑っていた隣の人に、

「今のは何がおかしいんですか?」

笑っていた隣の人が、

「私もよくわからない」

これが上級者の笑いです。

そういうふうに、なんでもいいから笑っていると、「喜ばれるとうれしい神様」を味方につけることができます。

しかも笑っていると免疫力《めんえき》がものすごく高くなる。人間は一笑いで二千個のがん細胞を消滅させることができるのです。一回笑っただけで、ですよ。

大体普通の健康な人は二百万個ぐらいのがん細胞を持っていますから、毎日二百回ぐらい笑って五日間過ごすと、それで完全にがん細胞がなくなってしまいます。だから、とにかく笑わないと損。

私は講演会を年間三百回やっていて、会場を見ながら冗談を言い、ダジャレを言って笑っていただいているのですけれど、たまに絶対に笑わないという人がいます。二時間の講演の間、一度も笑わない。私はそういう人を全部チェックしています。席順を覚えておいて、ダジャレを言うたびにちらっと見る。そして、ここでも笑っていない、ここでも笑っていない……と密かにチェックしているのです。とうとう最後まで笑わなかった人が何人かいます。笑わないことを通し続けた人。その人が二時間の講演会が終わってから、つつっと私のところへやって来ました。そして

「ちょっと相談していいですか」

とぶすっとした顔で言うわけです。

「なんでしょうか」

と聞くと、ある人はリウマチと言い、別のある人は神経痛と言いましたが、

「私はリウマチ（あるいは神経痛）なんですけれども、医者でも、鍼灸《しんきゅう》でも、整体でも、マッサージでも全然治りません。どんな薬を飲んでも、どんな民間療法をやっても痛みがなくならない。どう

したら治るでしょうか？」

私は医者じゃないので治療はできません。また、治療の方法も言ってはいけないのですけれど、とりあえずこう聞きました。

「なんで全然笑わないんですか？」

「あっ、見ていたんですか」

私は笑わない人だけずっと見ているので、

「二時間の間、一度も笑いませんでしたね」

と聞くと、

「痛くて笑えないんです」

と言う。だから、

「笑わないから痛いみたいですよ」

と言うと、

「痛くて笑えないんです」

「笑わないから痛いみたいですよ」

「痛くて笑えないんです」

「笑わないから痛いみたいですよ」

「痛いから笑えないんです」

……

大体八回ぐらいこの応酬《おうしゅう》がありました。これをやっかい（八回）な人と呼びます。


神経痛、リウマチの人の共通項は「笑わない人」。なんでって、神経が緩んでいないから痛いのです。笑うためには神経が緩むことが必要。神経が緩むためには体が緩んだほうがいいのですが、その提案は要らないと思います。皆さんは体はすでに十分に緩んでいます。そうでしょう？　だからあとは神経を緩めるだけ。

笑いとは「肯定」である

おもしろいことに、「許す」という言葉は「緩ます」という言葉が語源なのです。人に対して厳しい人、自分に対して厳しい人というのは、なかなか笑いません。つまり、笑いとは肯定なのです。ダジャレでも許すというのが肯定です。「そんなつまらないこと、誰が笑うか」というのは否定です。

肯定している人の周りには人がどんどん集まってくることがあって、これを皇帝と呼びます。大阪のほうで肯定的な生き方をしている人は、物をつくるとどんどん売れます。買《こ》うてぇ。……今みたいなダジャレを「つまーんない」と言っている人は不幸ですよ。なんでも笑ったほうがいいのです。

まあ、とりあえず笑いとは肯定である、ということを覚えてください。つまり、笑っていることによって、さっき言った免疫力がものすごく高まるということですね。

実はこれは科学的にも証明されています。

ある大学の研究室が、二十人の学生をなんば花月というところに連れて行きました。なんば花月というのは吉本興業が持っている劇場ですけれど、そこで三時間、お笑いの若手の漫才を聞かせた。お笑いの前に、二十人の大学生の血液をとっておいて、お笑いのあとにもう一回血液をとって調べてみたわけですね。

何を調べたかというと、血液中のナチュラルキラー細胞です。これはＮＫ細胞と言いますけれど、がん細胞だけを見つけて専門的にやっつけて歩くという細胞です。このＮＫ細胞がお笑いを聞かす前は平均して四〇％働いていた。そして三時間お笑いを聞かせたあとに調べたら、七〇％働いていた。免疫力がほぼ倍になったのです。その結果を研究室が吉本に知らせたところ、吉本興業はその日以来、「自分たちはお笑いをやっているのではない。健康産業である」とPRするようになりました。NK細胞のことを「なんば花月細胞」と呼ぶようになった。吉本にはなかなか頭がよくておもしろい人たちが集まっているようです。

この実験からわかったことは、とりあえず笑っていると免疫細胞がものすごく活性化するということです。おもしろくて笑っているうちは、さっき言ったようにまだ初心者です。おもしろくなくて笑うのは中級。わけがわからずにわからないままに笑うのが上級。どんなにおもしろい内容に対しても全く反応しないでシーンとしている人がいる。これを零級者《れいきゅう》（霊柩車）と呼ぶ。

初級者、中級者、上級者、さらには零級者が存在するということなので、皆さんは自分の損得勘定のためにも笑ったほうがいい。

そして笑うということは、イコール、さっき言った体と健康のオールマイティーの方法なのです。病気がちの家庭というのは笑いがない。呪いの人形だけがその家の中に釘で打ちつけてあったりして……「ワライ」はないが「ワラ」ばかりある。

笑えば「対人」関係も「対神」関係もよくなる

笑いにはさらなる効能がある。笑うことによって、「人間関係」というよりは「対じん関係」がすごくよくなります。「対人関係」の「じん」を平仮名で書いたのは、「人」という字が書けないわけではないですよ。

「じん」という平仮名を挟んで、一方に「人」と書いて、もう一方に「神」と書く。そういう意味で「対じん関係」というのは、人間との関係もよくなるし、神様との関係もよくなるということです。

神様は喜ばれるとうれしいので、愚痴や泣き言を言っている人に対しては全然協力や支援はしません。愚痴や泣き言を言っている人に対して罰を与えることもしません。ペナルティーを与えることもしないし、意地悪もしない。ただ、力を貸さないだけ。だから、そういう人は自分の力で問題を乗り越えなくてはいけない。

神を使いこなすためには、ただひたすら喜ぶという自分の中のプログラムを強化したほうがいいのです。自分の力では超えられないものはたくさんあるけれども、向こうさんの力を借りると超えられるものがたくさんあります。この「対じん関係」がわかってくると、一日一日がおもしろくなってきます。

Ⅳ「ありがとう」から生まれる温かい会話

思っているだけではダメ

「そ・わ・か」の「か」は感謝。おもしろいことに、「そ・わ・か」を心の中で思っているだけではダメなんですかと聞く人が必ずいます。もちろんダメです。トイレ掃除を思っているだけじゃダメ。笑うのも思っているだけじゃダメ。感謝も「ありがとう」と思うのだったら、思ったことを全部口に出して言わなきゃダメ。「んんん……」と言っていてはダメなのです。

妻に対してお茶を入れてもらったときに、いちいち「ありがとう」なんか言わなくても、こいつとは三十年も連れ添っているんだから絶対わかるはずで、この前もね……とか言って五、六分しゃべった人がいます。でも、そうやって説明する暇があったら「ありがとう」と二秒で言えばいい。本当にそう思っているのだったら、言葉に出して「ありがとう」を言ってしまえばいいのです。

照れくさくて言えないよ、という場合は、お茶を入れてもらったときに新聞を読むふりをして顔を隠して、「ありがとう」と言えばいいのです。あるいは、まともに顔を見なくてもいいから、とりあえずだんだんと妻の側に近づいていって「ありがとう」と言ってみると、ついには大きな声で「ありがとう」と言えるようになる。

そうすると妻のほうも、

「『ありがとう』と言ってくれてありがとう」

「いや、僕のほうがお茶を入れてもらったのだから、『ありがとう』と言ってくれてありがとう」

「私のほうがありがとうと言っていただいたのだから、あなたこそ『ありがとうと言ってくれてありがとうと言ってくれてありがとう』と言ってくれてありがとう」

「何わけのわからないことを言っているんだ。僕のほうがお茶を入れてもらったのだから、『ありがとうと言ってくれてありがとうと言ってくれてありがとう』と言ってくれてありがとう」

「お父さんとお母さん、何をやっているのよ」

と、こういう温かい会話というのが生まれることになる。こういう家庭にいるとなかなか病気をしません。一言で言うとアホな家族ですか。

とにかくこのような肯定的で感謝の言葉をいつも口にしている家族は病気をしにくいという事実があります。

病気や事故が教えてくれる大切なこと

繰り返しになりますが、神様を使いこなすコツは、目の前の現象について「うれしい、楽しい、幸せ、愛している、大好き、ありがとう、ついている」という肯定的な言葉だけを口にする。全部、何に対してもそう言う。これだけのことです。

病気をしたら、「ああ、うれしい」。

なぜか？　病気をしたことで、無事に自分の足で歩けること、何もないときの自分がどれほど幸せだったかということに気がつくからです。

事故を起こしても、「ああ、うれしい」。

なぜか？　事故を起こした結果として、何もなかった自分がどれほどありがたいかということに気がつくからです。

病気や事故は何のために起こるかというと、何事もなく普通に過ごせている日々がどれほどありがたいことかと感謝するために存在している。そのことへの感謝が足りないから、病気や事故という経験を自分の感謝の原料として体の中のプログラムに埋め込んであったということなのです。

たとえば、捻挫《ねんざ》をして一週間歩けなかったとします。その捻挫が一週間で治った。捻挫をする前の正常な状態と、捻挫が治ってからの正常な状態は全く同じです。何が変わったかと言うと、「捻挫をしていた一週間は歩きにくかったけれど、捻挫が治ってみたら何もなく普通に歩ける。それがどれほど幸せであるかということを知った」ということです。

普通に歩けることが「ありがたい、感謝」と言えるようになった。

つまり、その捻挫の一週間は、喜び、幸せ、ありがたさを感じるための前半分現象だったのです。それで、捻挫が治ってから以降は、それから何十年も普通に歩けることによって、毎日毎瞬間、幸せと喜びと感謝を何十年も感じ続けることができる。その喜びを一個、手に入れたということなのでした。

本当の幸せの極というのは、何事も起きないこと。特別なことが何も起きていないというのが、ものすごく特別なこと。

V　神様からの最高のプレゼント

幸福は不幸の先にある

世の中に不幸や悲劇という事実はないのです。そして、幸福という名の現象もない。それを自分で勝手に色をつけて見ているだけ。色即是空《しきそくぜくう》、空即是色《くうそくぜしき》。「空は即ち是色なり」ですから。自分で勝手に色をつけて見るのは好きなようにやればよい。それが事実なのだから。「自分にとっての事実」なのだから。

だから、捻挫したことが不幸だと思っている人は、「もしかすると、これが治ってからは普通の状態にものすごく幸せを感じられるようになるのではないだろうか」と思うようにする。そう思った瞬間から、この捻挫の一週間がありがたくてありがたくてしょうがなくなるわけです。

そして実際に治ったあとは、「ああ、あの一週間があったから、普通に歩けるということが当たり前のことではなくて、ものすごくありがたいことなんだとわかった」となって、捻挫をしたことが喜びに変わる。

宇宙の現象は、生卵構造なのです。不幸という名の白身の中を通っていかないと、中の黄身に会えない。黄身とは幸福である。不幸という名の白身を通り過ぎないと、幸福という名の「キミ」に会うことができない。

では、卵構造だったらゆで卵でもいいじゃないかという人がいるのですが、ゆで卵ではダメなのです。皆さん、よく覚えておいてください。幸福は生卵構造です。ゆで卵構造ではない。白身も黄身も、生卵だと、かきまぜると溶け合う。もともと同じものだからです。

この本を読んでいる皆さんは聞かれるかもしれない。

「なんの本読んでるの?」

「幸福って生卵なんだっていう本」

「何それ、ゆで卵じゃダメなの? わけのわからない話ね。どういう意味?」

「よくわっかんない」

いちいち説明しないでいいのです。自分だけわかっていればいい、自分だけ楽しんで生きていけばいい。「よくわっかんない」と言っててね。人にわかってもらう必要はないのですよ。自分だけやっていけばいい。トイレ掃除と、笑うことと、感謝だけやっていけばいい。

他人にこの話を知らせたいと思うのは間違いですよ。

私は誰かにこの話を聞かせて、その人をそういうふうにしてあげなさいなんて、これっぽっちも思っていない。二次会でよく「夫を連れてきて聞かせたかった」「妻を連れてきて聞かせたかった」「社員を十数人連れてきて聞かせたかった」という人がいますけれども、そういう人に必ず私は意見を言います。

「そういうふうに思うのはやめましょうね」と。

なぜなら、一番悩み苦しみ、一番胸が痛んでいるのはあなた本人なのです。すべてあなた本人に向かって言われたことなのです。でも、そのつらい本人は胸の痛みに耐えかねて、「あいつに聞かせたい話だった」とうっちゃろうとする。それはダメ。胸が痛いのは自分がやっていなかっただけなのですから。大切なのは「自分がどう生きるか」だけなのですから。

最高の幸せとは「何も起きない」こと

さて、いよいよ最後の話です。

世の中を「つらい、つらい」と思っている人がいます。「だって現実にこういうことが起きているじゃないか」という人がいるのですけれど、もしかすると、それはいろいろな喜びに全く感謝をしないで、思いどおりにならないことだけを挙げ連ねているから、思いどおりにならないことばかりなのかもしれない。

この六年ぐらいで、私が口で言った「ありがとう」と、人から口で言われた「ありがとう」を合計すると二千万回を超えました。「ありがとう」が二千万回を超えると何がどうなるのかというと、すべてがものすごく幸せになってしまうのです。このものすごく幸せになった状態になると一体何がどのように起きるかということを、ここで皆さんに報告しておきます。

私はときどき神様と話をします。先日も話していたら、神様が一〇〇%気に入って、ある人を応援・支援したときにどういう日常生活になるかというのを教えてくれました。

一〇〇%神が支援に回ったときの皆さんの人間の生活はこうなるのです。

何も起きない普通の生活。

何も起きないんですよ。

病気も、交通事故も、子供の病気も何かも、何も起きない。

夫婦げんかも、親子げんかも、人間関係のトラブルも、隣の家のカキが落ちてきたのでそれがどっちに所有権が所属するのかというようなけんかも起きない。

ただ、何事もなく淡々と淡々と、穏やかに普通の日々が続くことが最高の神からの贈り物だそうです。

皆さんに宣言しておきます。小林正観は最高の幸せの状態を味わって生きています。なぜ？　何も起きていないからです。何も起きません。交通事故に遭わない、病気にも遭わない、食中毒にも遭わない、夫婦げんかもしない、親子げんかもしない、普通に毎日が過ぎていって、普通に事が過ぎていく。電車はときたま不通になっているけれども、私はそれには遭遇しないで、なぜか動くところばっかりずっと移動しています。

当たり前のことが当たり前に、淡々と穏やかに進んでいくことが最高の幸せ。最高の幸せをあなたにあげているよ、というメッセージを神様からいただきました。改めましてありがとうございます。

もし今、この本を読んでいる方の中に、「ああ、よく考えてみると自分の生活は穏やかに普通の日々が淡々と過ぎていっているよね。特別なことは何もないけれども、本当に穏やかに心豊かに静かに平和に生きているよね」と思える人がいたら、それは神様からの最高のプレゼントを受け取っているのだと覚えておいてください。それ以上の幸福はありません。

あれが足りない、これが足りないと言うのを「感謝が足りない」と言います。物が足りないのではなくて、感謝が足りないだけ。

本当の幸せの極というのは、何事も起きないこと。特別なことが何も起きていないというのが、ものすごく特別なこと。それを毎瞬間毎瞬間、神のプレゼントとしていただいているのです。

「今」とか「現在」のことを英語でpresentと書き、プレゼントと言います。そして贈り物もプレゼント。今こそが神の贈り物であるということです。このプレゼント・イコール・プレゼントであることに気づいたら、皆さんは衝撃を受けることになるでしょうし、なおかつ宇宙の構造がかなり的確に把握できたということです。

あれがほしい、これがほしいと言っている間は全然神様は聞いてくれません。宇宙の構造がわかれば、目が見えることがありがたい、耳が聞こえることがありがたい、言葉で自分の口でしゃべることがありがたい、言葉でコミュニケーションができることがありがたい、隣の人を見るとにっこり笑って「お互いにいい話が聞けてよかったね」と言える美しい笑顔の人であることがありがたい。

それが神の最高のプレゼントであるということに気づけたらいいですね。今日は長いお話につきあっていただいて、ありがとうございました。

〈著者略歴〉

小林正観（こばやし・せいかん）

1948年東京生まれ。作家。

学生時代から人間の潜在能力やESP現象、超常現象などに興味を抱き、独自の研究を続ける。講演には年に約300回の依頼があり、全国をまわる生活を続けていた。2011年10月逝去。著書に、『宇宙を貫く幸せの法則』『宇宙が応援する生き方』（致知出版社）、『「そ・わ・か」の法則』（サンマーク出版）、『ありがとうの神様』（ダイヤモンド社）、『22世紀への伝言』（廣済堂出版）、『運命好転十二条』（三笠書房）、『こころの宝島』（清談社Publico）ほか、多数。

現在は、正観塾師範代・高島亮さんによる「正観塾」をはじめ、茶話会・読書会・合宿など、全国各地で正観さん仲間の楽しく、笑顔あふれる集まりがあります。
くわしくは、SKPのホームページ(小林正観さん公式ホームページ)をご覧ください。
https://www.skp358.com

宇宙を味方にする方程式

平成十八年三月九日第一刷発行
令和七年二月五日第三十五刷発行

著者 小林 正観
発行者 藤尾 秀昭
発行所 致知出版社
〒150-0001東京都渋谷区神宮前四の二十四の九
TEL（〇三）三七九六—二一一一
印刷 ㈱ディグ 製本 難波製本
落丁・乱丁はお取替え致します。 （検印廃止）

ISBN978-4-88474-741-1 C0095
ホームページ https://www.chichi.co.jp
Eメール books@chichi.co.jp
JASRAC 出 0601830-601